U0110315

17 北宋
西元960～1126年

［注音本］

全新 吳姐姐講歷史故事

吳涵碧◎著

目錄

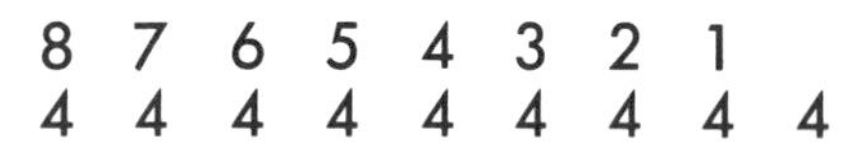

【第377篇】斧聲燭影。

我國從秦朝、漢朝以來，按照傳統的習慣，皇帝的寶座，一向是父子相傳。可是，宋太祖趙匡胤逝世之後，他明明有兩個兒子，卻傳位給他的弟弟趙光義，這是怎麼一回事呢？

宋太祖滅後周之後，尊母親杜氏爲皇太后，然而皇太后卻不怎麼開心，一天到晚悶悶不樂，大家都覺得很奇怪。

甚且，當宋太祖拜太后於朝廷之上，文武百官齊聲道賀，杜太后仍舊皺著眉頭，一副愀然不樂，好像大難臨頭似的。宋太祖滿臉尷尬，不知如何是好。

左右臣子紛紛對杜太后進言道：『臣聽說母以子貴，今天你的兒子貴爲天子，還有什麼好不快樂的呢？』

杜太后不以爲然的搖搖頭道：『我聽說做一個君主是很困難的，若是做得好，當然十分尊貴，假使做得不好，再想當一個普通的老百姓，都不可能。所以，我非常的憂慮。』

原來，杜太后親眼見到五代時期，國亡身滅的慘狀，短短五十年之中，換了十二位君主。因此，杜太后的憂慮絕不是杞人憂天。

也許正因爲杜太后不斷的耳提面命，宋太祖目睹前代覆亡的悲劇，他

了解帝王權力的可愛，也知道無限制權力背面的可怕。因此宋太祖杯酒釋兵權，解除悍將的威脅，同時勇於納諫，勤勞儉樸，戰戰兢兢，唯恐有失。

不知道是杜太后沒有福氣，或者成天擔心兒子皇帝當不好，成天發愁，就在宋太祖即位第二年（建隆二年）六月病倒在床。

病危之際，杜太后把宋太祖和她最信任的宰相趙普叫到身旁，她用微弱的聲音詢問宋太祖道：『你知道你怎麼得到天下的嗎？』

宋太祖哭得唏唏嗦嗦，一把眼淚一把鼻涕，嗚咽得說不出話來，只不斷的用衣袖擦眼淚。

杜太后很不高興，教訓宋太祖道：『我正要跟你討論大事，你不斷的哭幹什麼？』然後杜太后又追問了一句：『你仔細想想看，你憑什麼能夠取得天下？』

宋太祖眼淚汪汪的回答：『這都是因爲我們祖宗的餘德，加上太后的庇蔭。』

『不對，不對，』杜太后正色的說：『這是因爲柴家立了一個七歲的小孩爲天子，你才有今天。倘若後周新天子是個年紀比較大的，哪兒輪到你來當皇帝。』

接著，杜太后吩咐道：『你和光義都是我生的，我要你在你百年身亡之後，傳位給你的弟弟光義，如此，則四海至廣，能立長君，社稷之福也。』

宋太祖頓首泣曰：『敢不受太后教！』

杜太后又命令趙普把她說的話一字不漏的記下來，並且要趙普簽名做爲見證，把遺囑藏在金匱裡，以爲憑據。然後她老人家才放心閉上眼睛，與世長辭，這就是歷史上有名的金匱之盟。

宋太祖和他的弟弟趙光義感情一向很好，遠在陳橋兵變之際，趙光義已是策劃人之一，兄弟二人推心置腹，根據史書記載：有一次趙光義生病，宋太祖親自取了艾草爲他針灸，趙光義痛得叫了起來，宋太祖爲了表示同甘共苦，亦取艾自灸。

又有一次，趙光義在宴會中喝多了酒，醉得歪歪倒倒，沒有辦法騎馬，宋太祖站了起來，親自扶著他回去。宋太祖常常對左右近臣說：『晉王（指趙光義）龍行虎步，必爲太平天子，他的福氣不是我趕得上的。』

然而，又有不少史家懷疑金匱之盟的眞實性。開寶九年冬天，宋太祖生了重病，在一個大雪紛飛的晚上，太祖召見趙光義託以後事，左右的人皆不得聞，只見遙遠的燭影之下，晉王時而離席，好像是在逃避什麼，不久，又聽到斧頭落地的聲音，宋太祖一命歸天。

宋太祖新娶的年輕皇后，宋太后（二十五歲）見到了晉王，哭哭啼啼的說：『吾母子之命，皆託於官家（皇帝之意）。』

晉王也哭泣的說：『共保富貴，毋憂也。』

這就是平劇之中很有名的一齣戲——賀后罵殿，敘述宋太祖死後，賀后（其實應該是姓宋）斥罵宋太宗篡位，宋太宗尊賀后爲皇太后的一段故事。

有些史家認爲宋太祖是被宋太宗一記斧頭解決了性命，所以才死得這麼快，根本也沒有什麼金匱之盟。而且，宋太宗後來也是把皇位傳給兒子，並沒有遵照杜太后所指示兄終弟及的原則。

但是，從另外一個角度看，金匱之盟極有可能，因爲宋太祖和唐太宗一樣，是歷代創業帝王之中，最能體會殷鑑不遠的皇帝。尤其，太祖、太宗手足情深，他爲了宋代的基業，把皇位傳給能幹的弟弟，也說得過去。宋太宗若是把宋太祖給殺了，他一定要把宋太祖的兒子斬草除根，免除後患，我們證之史實，卻沒有發現太宗毒害太祖之子。

總而言之，斧聲燭影乃千古疑案，宮闈秘辛，外界莫得而知。

閱讀心得

【第378篇】

戲劇中的楊家將。

我國民情忠厚，最喜歡聽犧牲奮鬥、爲國壯烈成仁的故事。提起楊家將三個字，大家就眉毛一挑，開始興奮，凡是喜歡唱平劇的，都愛哼上兩句四郎探母中的『我好比籠中鳥，有翅難展。』就是在幼稚園中的小弟弟，也喜歡握著小木棍，把自己當成楊文廣。

楊家將的故事，就在一代一代的流傳之中，爲人們所熟知，佘太君、蕭太后、穆桂英，大概是民間最熟悉的歷史中的女子。然而平劇、地方戲劇、歌仔戲、港劇之中，所演出的楊家將，確有其人？確有其事嗎？

答案是肯定的。在北宋一百六十七年的歷史當中，執戈衛國的楊家將，先後五世經歷宋太宗、眞宗、仁宗、英宗、神宗五個朝代，可以說佔了北宋一半以上的時間。

楊家將的遺跡很多，其中以今天山西河北省境內長城嶺的『楊延昭掛甲樹』；居庸關八達嶺附近『楊六郎點將台』；山西應縣木塔中心蓮花座下埋藏楊業忠骸；衡山北麓金龍峪『老令公屯兵處』及古北口建立的『楊無敵廟』最爲著名。據說抗日期間，這些遺跡都還存在。

楊家將雖然確爲一門忠烈，然而一千多年來，民間戲劇流傳的故事，多與史實不符，我們先看一看戲劇中的楊家將，再介紹正史中的其人其事。

楊家將的主角是楊業，武藝高強、驍勇善戰，人們稱他爲『無敵將軍』，又尊稱爲『楊令公』，他一共有七個兒子，兩個女兒，個個英勇，加上孫兒、孫媳、曾孫，合稱爲楊家將。

老令公楊業，他在年輕的時候，從征佘塘關，女將佘賽花，舞槍而前，點點紛紛，如梨花徧灑，楊業落荒而逃，見路旁有一座七星廟，趕緊躲入，佘賽花在門前揚言，將命士卒焚廟，楊業情急之下，與佘賽花相約兩人徒手相搏。

佘賽花進入七星廟，楊業將她一把推倒，用繩索綁住。他發現佘賽花貌美賽花，不忍傷害，兩人在神前立誓，結爲夫婦。佘賽花即爲鼎鼎大名的佘太君是也。

宋太宗之時，遼邦與宋朝大臣潘洪串連，誘騙宋帝至幽州，設下雙龍會，想要效法鴻門宴，在宴席中殺死宋太宗。

楊業長子楊大郎延平，假扮宋帝前往赴會，大郎二郎均戰死，三郎踏死馬蹄下，四郎被擒，所剩生還者，只有五郎、六郎、七郎而已，宋兵元氣大傷。

宋朝對死者一一追封，對生者五郎、六郎、七郎加官晉祿。然而五郎受此打擊，不受官祿，決意在五台山出家，當和尚去了。

後來，宋遼再度失和，楊令公兵困兩狼山，他派遣七郎向元帥潘洪求救，不料潘洪非但不發一兵，而且把七郎給殺了，以報私仇。楊令公久久等不到救兵，晚上夢到七郎的冤魂，醒而大疑，他一面命六郎突圍而出，自己則單身殺到蘇武廟。

在月光之下，楊令公看到樹旁的一塊大石碑，上面刻著李陵碑三字。這李陵原是漢朝名將，討伐匈奴失敗，屈節投降，司馬遷因爲幫李陵說情，慘遭腐刑。楊令公一心報國，不料同胞相殘，他不願意被番軍捉去當俘虜，摘下金盔，雙眼一閉，向石碑猛撞而死。

六郎楊延昭，在五台山巧遇五郎，兄弟意外相逢，悲喜交加，六郎央求五郎下山助戰，五郎表示，非要取得穆柯寨的降龍木，做爲斧柄，方能取勝，非有此木不肯下山。六郎之子楊宗保，奉命前往穆家寨盜木；遇到定天王穆羽的女兒穆桂英，她天生兩臂神力，慣使三口飛刀，百發百中。楊宗保與穆桂英，兩馬相會，槍來刀擋，刀去槍迎，不分勝負，穆桂英使了一招，撥馬便走，楊宗保不知是計，飛馬追去；忽然一支箭飛來，正好射中馬背，楊宗保翻倒在地，穆桂英笑盈盈的活捉楊宗保。穆桂英這才發現此位青年英雄帥極了，心生愛慕，逼他成親之後，予以放回。楊宗保回營之後，他的父親楊延昭大怒，痛罵兒子臨陣招親，違反軍法，立刻喝令推出斬首，佘太君聞訊趕了來，爲孫兒說情，楊延昭不聽。

正在千鈞一髮之際，穆桂英前來，呈獻降龍木，忽然見到夫婿被綁在轅門外面，氣得不得了，便請楊延昭赦免。楊延昭起初不肯，可是見她厲害，不得已只好答應，衆人都爲楊宗保娶了這麼一個年輕貌美、英姿煥發的女將而高興。

再說，楊四郎延輝在幽州爲遼所敗被虜，改姓名爲木易，遼國太后將他配以鐵鏡公主，一晃就是十五年。

蕭天佐寇宋，楊延昭率領一批人馬，浩浩蕩蕩，向飛虎谷進軍。佘太君寶刀未老，押糧抵營。

楊四郎延輝，聽到母親和六郎前來，一時思母心切，獨自坐在那兒唉聲嘆氣，雙淚漣漣，鐵鏡公主看到了，大爲驚奇，一再追問，最後，四郎把實情一五一十的坦誠以告，並且懇求公主到蕭太后那兒，偷取一支令箭，出關見母。一家團聚，悲喜交集，到了四更天，不得不揮淚而返。後來，楊四郎掌握兵權，與楊延昭裡應外合，大破幽州，洗刷了宋朝的恥辱。

在平劇之中，楊家將是最常出現的，例如：佘塘關、雙龍會、五台山、李陵碑、雁門關、穆柯寨、清官冊、白虎堂、四郎探母、八盤山、破洪州、八郎探母、太君辭朝、洪羊洞、瓦橋關、演火棍、五台會兄等都是。

戲劇中的楊家將，大家都很熟悉，正史中的楊家將到底是如何呢？

閱讀心得

【第379篇】

正史中的楊家將。

我們敘說了戲劇中的楊家將，現在我們一起來看看宋史之中的記載：楊業的父親叫楊信（一名弘信），在戲劇中稱爲火山王楊滾，可能因爲楊信做過麟州刺史，麟州附近有火山之故。

楊業本名叫楊繼業，小時候不喜歡讀書，只愛騎馬射箭，性尚俠義，特別愛好打獵；每次打獵，所獲得的鳥獸，總比別人多好幾倍。他曾經自豪的誇道：『你們看，將來要是我當了大將軍，用兵列陣，也就好像指揮鷹犬追逐雉兔一般。』

當他二十歲的時候，在北漢主劉崇手下擔任保衛指揮使，以驍勇聞名。劉崇死後，劉鈞即位，收他爲義子，賜姓爲劉，改名爲劉繼業。後來，又升他爲建雄軍節度使，立下了不少戰功，北漢人都稱他爲無敵將軍。

宋太宗討伐太原的時候，就已經聽說過他的威名，北漢孤壘甚危，根本不是宋朝的對手，楊繼業勸北漢主投降。因此，北漢降宋之後，太宗大爲高興，授楊繼業爲大將軍，他在北漢爲將，共歷四帝，爲時二十餘年。當楊繼業降宋之時，已經五十多歲，因此人稱之爲老令公。

楊繼業拜受詔書之後，第二天就調集軍馬，來到宋太宗的御營，宋太宗見到這位英勇大將，大爲高興，立刻任命他爲右領軍衛大將軍，而且親

楊

自把跪在地上的老令公扶起，慰勉有加，要他復姓楊氏，單名一個業字。宋太宗看上楊業對邊疆事務熟悉，派他擔任代州兼三交駐泊兵馬都部署，剛好契丹入侵雁門，楊業帶領麾下數千騎兵，由小徑繞到雁門北邊，契丹大敗，楊業因功遷爲麟州觀察使。

從此以後，契丹只要遠遠望見旌旗上有一個楊字，不由擔心他挺槍滾滾殺來，三十六計走爲上策。因爲楊業威名太盛，戍邊主將心懷忌恨，不斷的上書，誹謗楊業，宋太宗看過之後，向來不理，把奏章封好之後，寄給楊業，楊業對於君主這一份信任，感動極了。

雍熙三年，大兵北征，朝廷以忠武節度使潘美爲雲、應路行營都部署，楊業爲他的副將，王侁爲監軍。連克雲（山西大同）、應（山西應縣）、寰

（山西朔縣東）、朔（今山西朔縣）四州，這是自從石敬瑭把燕雲十六州割讓給契丹以來的第一次光復，可是過了沒有多久，契丹國母蕭太后，又攻下了寰州。

這個蕭太后，是歷史上一位精明強幹、足智多謀的女中豪傑、巾幗丈夫。大家還記得，耶律阿保機那位厲害的述律皇后嗎？（請參考前面）述律皇后也是蕭氏，遼國的耶律家之子，似乎非蕭家女不娶，蕭家之女似乎也非耶律家子弟不嫁。

這位在歷史上，被讚譽爲『明達治道、聞善必從』的蕭太后，乃遼國魏王蕭思溫的女兒，小名燕燕，她的姊妹很多，全家就屬她最聰明，連掃地都比別人掃得乾淨，所以她父親常常誇獎燕燕這個女孩子，將來必能成家立業，有所作爲。

由於她的才幹與魄力，均超過她的丈夫遼景宗，因此成爲名副其實的賢內助。遼景宗二十二歲即位，三十六歲就短命而死；十二歲的遼聖宗即位，國家的重責大任，就由身爲太后的蕭燕燕一肩挑起，蕭太后富有機智，愛才任賢，臣子們都願意爲她効命，尤其是耶律休哥，更是了不起的政治家、軍事家。

蕭太后文武全才，每次南征，她都親自披甲上陣，楊業知道這位女將勇猛，不容易對付，楊業對潘美等說：『現在遼兵來勢兇猛，兵源衆多，我們不能出兵迎敵，目前最重要的，是掩護寰州等地的百姓，退入雁門關，使他們不受到屠殺，我軍應北上應州，派一千名弓箭手，抵擋追兵，讓民眾安全往南撤退。』

監軍王侁聽了，嘿嘿冷笑兩聲：『你率領數萬精兵，竟然如此膽小懦弱，依我看，你應該領兵出雁門關，向前推進。』

『不可以，不可以，如此只有損兵折將，於事無補。』楊業辯說道。

王侁忽然站了起來，冷冷的對楊業說：『楊將軍向來號稱無敵，這次卻嚇成這個樣子，莫非有他志？』

楊業氣得握拳頓足，耳中嗡嗡一片，他也站了起來，氣憤的說：『我楊業不是怕死，只是時機不對，白白犧牲士卒，今天你責備我膽小，我就去打頭陣。』

楊業出發以後，流著眼淚，對主帥潘美說：『我這次出擊，形勢大為不利，楊業本爲太原降將，應當處死，皇上非但不殺我，反而派我擔任將帥，授之兵柄，我時時刻刻希望立尺寸功，以報國恩。現在，被人懷疑我畏懼、逃避，我還不如第一個死在敵人手裡。』

說著，楊業用手遙遙指著陳家谷說：『你們在此駐守步兵，加派弓弩手，分爲左右二翼，等待接應，等我轉戰至此，即以步兵夾擊，不然，我軍一個也不得生還。』

潘美和王侁在陳家谷口佈下陣兵，從寅時到巳時，王侁不斷派人登上托邏台瞭望，只見黃沙一片，渺無人煙，王侁忽然念頭一轉，莫不是契丹已被楊業打得落荒而逃。所以，楊業才故意把我困在陳家谷，想要一個人獨得全功啊。於是，王侁立刻帶兵追了上去，他可不願讓楊業獨享戰功。

閱讀心得

【第380篇】

佘太君與穆桂英。

在〈正史中的楊家將〉之中，我們說到老令公楊業，奉命攻打遼國，遼國蕭太后來勢洶洶，楊業急於撤退百姓。誰知監軍王侁責備楊業貪生怕死，楊業迫於無奈，只好勉強出征，臨行之前，請求主帥潘美、監軍王侁在陳家谷接應；誰知，王侁久不見楊業兵馬，爲了爭功，回馬引軍離開陳家谷。

潘美想要制止王侁，王侁在馬上大聲的說：『別忘了，我是監軍。』

說罷，楊長而去。潘美也只好隨著王侁北進。他們沿著灰河走了二十多里，接到前哨飛馬跑來報告，楊業兵敗，遼軍緊緊追殺過來。王侁慌亂的下達命令：『退軍！』

再說，楊業且戰且走，一路逃跑南奔，回頭一望，遼兵人喊馬嘶，像潮水一般衝殺過來。到了傍晚，好不容易逃到陳家谷，滿以爲步兵強弩會在此接應；誰知，山谷之中，空空如也，他氣得痛哭失聲，只聞山谷之中傳來陣陣的回音。

楊業搗著傷口，殺開一條血路，他還手刃數百遼兵。這時，楊業的兵馬，七零八落，只剩下一百多人，楊業長嘆一聲道：『你們各有父母妻子，不必跟我一起死，趕快退走還報天子。』

軍士們個個灑淚，捨不得離開老將軍，老令公常與士卒同甘共苦，邊疆一帶，氣候寒冷，他卻從不生火，表示要凍大家一起凍。

當楊業被遼兵捉住之時，身上大大小小有幾十個傷口，楊業仰天長嘆道：『皇上待我優厚，希望我討伐賊人，捍衛邊疆，誰知，反爲奸臣所害，王師大敗，我還有什麼面目活在世界上呢！』絕食三日而死。

他的部下感激楊業恩義，一起戰死，無一生還。

宋太宗聽説這件事情，萬分痛惜，追贈楊業爲太尉（太尉與司徒、司空合稱爲三公，所以後人稱楊業爲楊令公），並且下詔：『執干戈而衛社稷，盡力死敵，立節邁倫，獨以孤軍，陷於沙漠，有死不回，求之古人，何以加此。』賜其家布帛千匹，粟千石。處罰不和他配合的大將潘美，連降三級。革除監軍王侁所有的職務，發配金州。

在戲劇中，把楊業之死，完全歸罪於潘洪——其實就是潘美，眞正的禍首王侁反而不爲人們所知。楊業不識字，忠烈武勇，極有智謀，他一共有七個兒子，名字和戲劇中有所不同，依次爲延玉、延浦、延訓、延瓌、延貴、延昭、延彬（請參考世系表）。

這七個兒子中，以楊延昭最爲著名，他本名延朗，幼時沉默寡言，喜歡玩騎馬打仗的遊戲。楊業常常說：『這個兒子像我。』每次出征，都帶他去。太平興國中，擔任供奉官，後爲江、淮南都巡檢使。

咸平二年的冬天，契丹騷擾邊境，楊延昭當時駐守遂城，城中毫無戒備；契丹攻之甚急，長圍數日，大家心裡都很害怕；聰明的楊延昭，提了許多水，從城牆上往下灌，由於天氣寒冷，到了第二天早晨，凍爲一座冰牆，又硬又滑，契丹根本爬不上去，敗下陣來，楊延昭因功升爲莫州刺史。眞宗皇帝指示諸王說道：『延昭父業爲前朝名將，延昭治兵護塞，有父風，深可嘉也。』

這年冬天，契丹再度南侵，延昭在半山埋伏，自北掩擊，再獲大勝。景德元年，楊延昭上書皇帝：『契丹駐兵澶淵，離開北境千里，人馬俱乏，若是扼其要路，可以一舉殲滅。』可惜朝廷沒有接受他的建議。

其後延昭再以功績調任本州防禦使，大中祥符七年病卒，享年五十七歲。《宋史》之中記載楊延昭智勇善戰，他所得到的俸賜，全部用來犒賞三軍，從來不管家裡的事。駐守邊防二十多年，契丹聞之喪膽，尊稱爲楊六郎。當他去世的時候，眞宗非常難過，河朔一帶的人民，都望著靈柩哀哀哭泣。他一共有三個兒子，其中最著名的是楊文廣。（在小說之中，楊延昭之子爲楊宗保，楊宗保之子爲楊文廣，史書中沒有楊宗保這個人。）

楊文廣字仲容，以討賊張海有功，授殿直。大文學家范仲淹很賞識文廣，置於麾下。後來文廣跟從大將軍狄青南征有功，升爲廣西鈐轄。宋英宗說：『文廣爲名將之後，而且有戰功。』再升爲成州團練使、龍神衛西廂都指揮使。

神宗熙寧七年，遼使來爭河東地界，楊文廣獻上陣圖，攻取幽州之策，朝廷卻不敢開戰。過了沒有多久，楊文廣就死了。

楊家將不只是楊令公一人忠心耿耿，他的子孫經歷太宗、眞宗、仁宗、英宗、神宗五朝，執戈衛國確爲一門忠烈。

再説楊家將之中，膾炙人口的巾幗英雄，以楊業之妻佘太君、楊文廣之妻穆桂英爲最有名。其餘楊排風、楊八妹、楊九妹都不可考。

佘太君是折德扆之女，小説中稱爲『佘太君』，又訛爲『蛇太君』。她性情精敏，曾經輔佐楊業建立戰功，後來上書皇帝，説明其夫戰死之由。生有七個兒子。至於穆桂英（一作木桂英），在保德州志『烈女』中記載：『慕容氏，楊業孫文廣妻，州南慕塔村人，雄勇善戰。』戲劇中，把楊文廣的妻子升爲他的母親，倒是一件很有意思的事。

中國古代，重男輕女，因此，正史中對於女子的記載，只有寥寥數語，佘太君與穆桂英的英勇，也許在民間流傳甚廣，史書中記載太過簡略。不過，由此可知宋初女子，仍有唐代女子騎馬射箭的遺風，並非弱不禁風，只會躲在閨房中繡花。

楊家將族譜

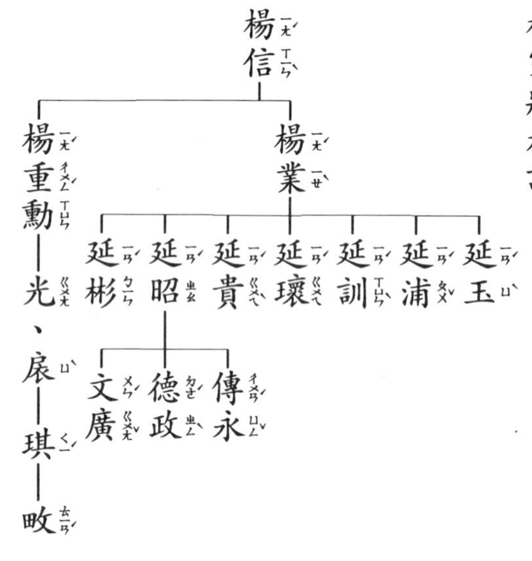

閱讀心得

【第381篇】

寇準正氣凜然。

宋朝重文輕武，一直是個積弱不振的朝代，打從建國之初，不斷受到北方契丹的威脅，這是因爲五代後晉高祖石敬瑭把燕雲十六州拱手讓給契丹。後周世宗，北宋太宗都曾北伐，卻被打得大敗。

契丹即爲遼，也是前三篇楊家將故事中宋朝之勁敵，宋軍在太平興國四年，趁著滅北漢的餘威，與遼軍大戰於高梁河，宋太宗身中流矢，嚇得乘了一輛騾車落荒而逃。到了雍熙三年，宋太宗鼓起勇氣再拚一戰，結果又有歧溝關之敗。

經過了這二次戰役，遼軍看透了宋朝之虛，從此，宋朝的北方幾乎沒有國防線可守，遼軍經常長驅直入，騷擾宋朝邊境地區。

宋眞宗景德元年，遼聖宗奉其母蕭太后之命大舉入寇，來勢洶洶，一下就衝到了黃河北岸的澶淵。宋眞宗是一個遇事緊張，膽小懦弱的皇帝，碰到這種十萬火急的事，抓耳撓腮，簡直不知如何是好。

『臣以爲立刻遷都金陵，避開危險的開封城。』王欽若首先提出意見。這位以主編冊府元龜出名的大臣是江南人，因此建議遷都到江南的金陵，也就是今天的南京城。

『不，臣以爲不如遷都到成都較爲妥當。』另外一位四川籍的大臣陳

堯叟有不同的看法。

接著，宋真宗又請教寇準的意見，寇準假裝不曉得王欽若、陳堯叟說些什麼，他聲色俱厲的說：『此時此刻，若有人建議遷都，他就是國家的罪人，該殺！』

接著，寇準又解釋道：『今陛下神武，將臣諧和，若大駕親征，到澶州前線去，契丹軍隊必退……』

朝上的臣子都嚇壞了，大家一塊轉臉去看這口出狂言的集賢殿大學士。

寇準是陝西省渭南縣人，年少英邁，精通春秋三傳，年十九，中進士，分發到地方擔任知縣，由於表現良好，被調回京中任官。

由於寇準有學問，敢講話，宋太宗對他十分欣賞，拔擢爲樞密院直學士。寇準秉著知識份子的良心，時常犯顏直諫，不考慮皇上之愛惡。有一回，寇準又頂撞了太宗，太宗實在火了，一言不發，怒氣沖天站了起來，直往後宮。

不料，寇準居然一步向前，扯一扯宋太宗的衣袖，好像在説：『你不要這個樣子嘛，有話慢慢説。』他把太宗硬請回座位，緩緩地道：『陛下，不管你是否生氣，事情總要解決才行。』

宋太宗對自己竟然沒有龍顏大怒，頗爲自得，他告訴左右：『朕得寇準，猶唐太宗之得魏徵。』

淳化二年春天，大旱災，宋太宗詢問左右，因何而起，寇準站起來便說：『這是因爲天下刑罰不公平。』

宋太宗十分不高興，按古代帝王擁有無限權威，『伴君如伴虎』，凡是在皇帝身旁做事的，無不小心翼翼，惟恐遭到殺身之禍，哪有像寇準一樣的該說就說，全無顧忌。

宋太宗勉強平抑了怒氣，把寇準找來問個明白：『你說說看，哪兒不公平？』

『祖吉貪汙受賄，被判死刑，王淮同樣貪汙，只被打了一頓，仍然當官，這不是不公平？』寇準理直氣壯的回答。

宋太宗認爲寇準有理，再升他爲左諫議大夫。可是，有一次，寇準在大殿之上與王賓二人爭得太厲害，太宗一氣之下把他貶到青州。

寇準到了青州之後，宋太宗對他又十分思念，又不好意思說出來，故意問身旁大臣：『寇準在青州快樂嗎？』

『青州是個好地方，當不苦也。』大臣據實以答。

過了沒幾天，宋太宗又把原樣的話，再問了一遍，左右這下了解皇上的心意了，改口道：『聽說寇準日夜縱酒，大概是思念皇上。』

宋太宗默默不語，明年又把寇準召回，擔任參知政事。當時，太宗在位已久，馮拯等上奏，請皇帝立儲君，太宗十分惱火，把馮拯等斥退嶺南，然而私心裡又曉得這是一件大事，於是，把寇準找來，悄悄問話：

『朕諸子之中，哪一個可以付託國家大事？』

『陛下爲天下擇君主，不可以與婦人、宦官商量，不可以與近臣討論，只有陛下自己能選擇符合天下之願者。』

宋太宗不發一語，低著頭想了半天，然後摒退左右，低聲地問：『襄王怎樣？』

『知子莫若父，聖上既然以爲可，即可決定。』

就這樣，宋太宗以襄王爲開封尹，改封壽王，立爲皇太子。消息傳出之後，京師之人擠在道路之上，彼此道賀：『少年天子。』

宋太宗吃醋了，把寇準再召來說：『人心均屬太子，欲置我於何地？』

『此社稷之福也。』寇準叩頭道。宋太宗又轉怒爲喜。

等到宋眞宗即位，老早想用寇準爲相，又擔心他過於剛直，現在，寇準果然又表現了他的耿直，竟然力勸皇上親征，他說：『契丹大軍雖然到達澶州，但是他們是孤軍深入，河北州縣仍在我方之手，他們不得不擔心後援不繼，加上，澶州附近我軍人數眾多，如果陛下親至澶州，必可鼓舞士氣。』

【第382篇】澶淵之盟。

宋眞宗景德元年，契丹蕭太后與遼聖宗大舉南侵，宋朝大爲震動，王欽若等主張遷都，寇準則建議皇上親征，維繫人心。

由於朝廷上下被寇準懾人的氣勢所籠罩，不待眞宗返回後宮，寇準便催皇上起駕。

宋眞宗迷迷糊糊來到澶州，眼看契丹兵威強壯，大家都勸眞宗暫且先駐紮下來，以觀動靜。

寇準十分著急道：『陛下倘若不肯過河，則人心益危，也不能壓住敵人的氣焰，這可不是取威決勝的好辦法，況且王超、石保吉等大將早在黃河北岸佈置妥當，四方趕來赴援者又多，我軍在澶州力量強大，爲何還要懷疑不肯前進？』

大臣們依舊嘀嘀咕咕，議論紛紛，因爲皇帝渡黃河，他們勢必也得跟著上前線，萬一中了流矢什麼，那可不是開玩笑的事，因此很想打退堂鼓。

主張遷都的王欽若又在說，此時遷金陵，還來得及。寇準看在眼中，萬分著急搶口：『陛下只有進一尺，不可退一寸，河北諸軍，日夜企望著皇帝鑾駕，皇上到了澶州，士氣已百倍，若是不渡黃河，必然萬衆瓦解，敵人乘勢追擊，連遷都金陵都不可能。』

正在爭執不下之際，寇準遇到了前線回來的高瓊，寇準問他：『你身受國恩，今日何以報答？』

『瓊，武人也，願爲國効死。』

於是寇準領了高瓊來見眞宗，寇準高聲地說：『陛下不以臣的話爲然，何妨聽聽高瓊的意見？』

高瓊朗聲答以：『寇準說的沒錯，陛下假如渡過黃河，我軍士氣必然大振。』

寇準立刻在旁接口：『機不可失，請皇上即刻啓程。』說著，高瓊指揮衛士拉來皇帝的御車，扶著眞宗渡過黃河，眞宗因爲膽小，也不敢反抗，心中十分害怕。

御車過了河，登上澶州的北城門，宋軍遠遠見到了代表皇帝的黃傘蓋，興奮莫名，古代君主權威高於一切，向來不輕言出宮，如今竟然親上前線，這對宋朝弟兄的鼓勵太大了，人人擠來擠去，努力想跳得更高，看得更清楚一些。

『皇上萬歲！』『皇上萬歲！』『萬歲！』宋軍踴躍歡呼，聲聞數十里，契丹軍從來沒見過宋軍如此威猛，大吃一驚，契丹軍的首領氣得大叫集合，可是契丹軍竟然被嚇得軍不成列。

宋眞宗把軍事的指揮權完全交到寇準手上，寇準全權指揮，號令嚴明，士卒都極爲喜悅。

初上戰場，宋眞宗眞是緊張得直冒汗，雖然宋軍氣勢大振，甚且把契丹統軍撻覽送上了西天，眞宗還是不放心。他偷偷派人去打聽，寇準到底在幹什麼。

打聽的使者回來報告：『寇大人在與楊億飲酒、賭博、唱歌、戲謔。』

『寇準如此輕鬆，大概沒有太大的問題吧。』

宋朝這隻睡獅被寇準喚醒了，於是契丹派人到宋營談和，宋軍正在大勝，怎可輕言和談？偏偏眞宗膽小，急著罷兵。

寇準稟明眞宗：『總該要契丹交出幽州才能談。』

『有人先前告訴我，你擁兵自重，我還不相信。』宋眞宗用不信任的眼光瞅著寇準咕噥著。

欲加之罪，何患無辭，寇準本爲一片忠心，皇帝卻故意歪曲，又有什麼辦法，何況宋眞宗要撤兵之意甚爲堅決，他慷慨表示：『只要每年一百萬以內都可以談。』

眞宗雖然有這句狂言在前，寇準一心爲國家省錢，他把派出和談的代表曹利用叫來道：『皇帝雖然開了一百萬，你答應契丹的條件，若是超過三十萬，我就斬了你的腦袋。』

曹利用來往交涉的結果，與蕭太后訂立了澶淵之盟。其條件爲：㈠宋每年給遼銀十萬兩，絹二十萬匹；㈡宋遼約爲兄弟之國，遼主尊宋主爲兄，宋主尊蕭太后爲叔母。時為宋眞宗景德元年十二月。

澶淵之盟後，宋朝對契丹年年納幣，維持一段長時間之苟安，有人批評澶淵之盟爲宋朝國恥之開端，皇帝意志不堅，又有什麼辦法，假如沒有寇準力爭，更不知會有何結果。

由於寇準過於剛直，人緣不佳，有一次退朝之後，王欽若對眞宗說：

『陛下敬重寇準，因爲他對社稷有功是不是？』

『對啊！』

『澶淵之役，陛下不以爲恥，反而認爲他對國家有功，太奇怪了。』

『這有什麼不對？』眞宗驚愕道。

『城下之盟，春秋恥之，況且，皇上有沒有聽說過賭博，快要賭輸的賭徒，往往傾其所有，孤注一擲，稱爲孤本，寇準就是把皇上當成孤本啊！』

從此之後，眞宗漸漸不信任寇準，當然，皇上親征，本來是有一點兒冒險，皇帝爲國擔一些風險亦不爲過。

好人未必有好報，忠臣往往不善終。有人說，看看忠臣之下場叫人寒心。其實，中外都是一樣，耶穌基督救人救世，結果還不是被釘在十字架上。然而人類有一種向上的力量，使得許許多多可愛的傻子，明知不可為而為之，追求眞、善、美，中華民族的歷史上，就是有寇準之類正直之士，我們才能綿延至今。

閱讀心得

【第383篇】

富弼的外交。

在上篇〈澶淵之盟〉之中，我們說到，寇準力勸宋眞宗親自出征，討伐契丹，維繫中外人心。結果果然軍心大振，可惜眞宗畏懼，草草退兵，簽訂了澶淵之盟。

澶淵之盟之後，寇準成爲國之功臣，卻引起了全朝大臣之不滿，尤其是王欽若，屢次在眞宗面前，詆毀寇準，說他以皇帝爲賭本，孤注一擲，實在太危險。眞宗聽了，毛骨聳然，在景德三年，罷免寇準的相職。

從此，眞宗時以澶淵之盟爲恥，鬱悶不樂。王欽若又獻計道：『陛下若能發兵收復幽州、燕州，可雪其恥。』

『河朔生靈百姓，方免兵革之苦，朕怎忍如此？』

『不然，』王欽若接口：『只有去泰山行封禪之禮，同時製造種種祥瑞，必可鎭服四海，誇耀外國。』

按封禪之禮，乃爲古代君主去泰山祭天，古代交通不便，除非國勢鼎盛之際，通常臣子都會反對如此勞民傷財，至於祥瑞，則是將天下出現了許多奇異之事，解釋爲吉祥的徵兆。

王欽若自己常說：『我小時候經過圃田，半夜起來，仰望天空，忽然看到紫微兩個字。後來，我到蜀國，在褒城道中，碰到一位貴人，這位貴

人告訴我，將來我會做到宰相，等到此位貴人走遠之後，才發現他是宰相裴度。』（裴度是唐憲宗時的宰相，本書前面已經說過裴度的故事。）

由於這段往事，王欽若對神仙之事深信不疑。同時，幫忙眞宗製造大量假符瑞，在景德五年正月初一，僞造天書放在皇宮的承天門上，然後，大驚失色般令人取下宣讀，又鄭重其事藏在金匱之中，集合朝臣道賀，祭告天地宗廟，大赦，改元爲大中祥符。

到了六月，又稱在泰山得到新的天書。這下不得了，十月間眞宗親往泰山舉行封禪之禮，典禮歸來之後，羣臣莫不爭頌功德。

僞造天書，稱頌符瑞，老實說，眞是一件荒唐的事，可是既然皇帝喜歡這一套玩意兒，上行下效，羣相附會，大家一起來玩怪誕的遊戲，使得宋眞宗一朝，符瑞之事層出不窮，成爲最荒謬的時代。

由於不斷有假天書出現，不斷可以讓臣子大作文章，把眞宗捧得半天高，眞宗倒是挺樂，然而符瑞的迷信終究只能自欺欺人，朝政日益渾渾噩噩，宋朝的政治更走向敗亡之途。

宋眞宗去世之後，宋仁宗即位。在遼國方面，遼興宗即位，正當英年，胸懷大略，他看準宋朝國勢不振，又爲西夏所困（西夏的故事，我們以後再詳細講），派人向宋朝索取十城之地。

宋仁宗聽說這件事，憂心忡忡，不知道該派哪一位臣子前往交涉，問來問去，沒有一位敢去，宰相呂夷簡建議：『不如找富弼。』

富弼字彥國，河南人氏，爲人有雍容大度，范仲淹一見之下，呼爲奇才，對人說：『此人乃王佐之才也。』並且很熱心的把富弼的文書拿給王曾、晏殊傳觀，晏殊是當時有名的文學家，也是中國史上有名的詞人，一見其文，大爲讚賞，把富弼收爲乘龍快婿，將女兒嫁給了他。

富弼爲官極其正直，當時西夏有二人來投降，富弼認爲應該用厚賞來吸引降者，不能隨隨便便安插一個小職位，而宰相呂夷簡起初不知道，富弼嘆息道：『這個哪兒是小事，宰相怎會不曉得！』呂夷簡聽到批評頗爲不悅。

慶曆二年，開封城中出現許多假和尚，富弼主張用官吏對付僞僧，把他們關入獄中，呂夷簡更不高興。於是，當仁宗找不到適當出使契丹的人，呂夷簡立刻推薦富弼公報私仇。

不料，富弼很高興的接下此一艱難的任務，他叩頭曰：『主上憂煩乃臣子之辱，爲臣者豈敢貪生怕死？』

仁宗聽了，大爲動容。到了二月間，遼使者特默（特默是在續資治通鑑中的名字，宋史之中稱爲蕭英）果然來了，仁宗遣中使加以慰勞，特默故意蔑視宋朝，上身略彎道：『對不起，我足疾，不能拜。』

富弼立刻接口道：『我曾經前往北方出使，病臥車中，聽到命令，立刻下拜，今天中使到了你卻不肯下拜，這算是什麼禮？』

特默只好不願意地起身，讓人扶著腋下下拜。經過這一番周折，遼使特默反而敬重富弼，兩人開懷暢飲，微醺之際，特默悄悄告訴富弼：『遼主所要求的，可以依從的，依他；不能依的，拿一件事搪塞他也就是了。』

由於有特默這張底牌，最後，宋仁宗准許每年增加歲幣，但是仍然不准與宋朝結親。

富弼辦了一場漂亮的外交，宋仁宗大爲欣賞，授富弼爲禮部員外郎樞密院直學士，哪知富弼竟然拒絕接受，他謙辭道：『國家有危急，臣子應該惟命是從，不需要用官爵賜賞。』

過了五個月，宋朝再以富弼爲報聘契丹使，前往遼國，正式訂約。

到達遼國之後，有遼國官員六符對富弼說：『我北朝皇帝堅持一定要割地。』

富弼說：『此必敗盟，果然如此，南朝只有執戈相待。』

富弼明明曉得宋朝不願意開戰，他要如何迎接更困難的一場外交戰呢？

閱讀心得

【第384篇】

宋遼的關係。

宋遼訂立澶淵之盟之後，遼見宋朝與西夏用兵，國勢衰弱，向宋朝提出種種要求，宋宰相呂夷簡因與富弼不和，建議宋仁宗命富弼辦交涉，結果富弼在第一回合之中不辱使命。

宋仁宗慶曆二年七月，富弼前往契丹談判，他對遼興宗道：『兩朝繼好，已四十年，爲何忽然要求割地？』

『不是這樣的。』遼興宗搖首道：『此因宋朝違約在前，塞雁門關，疏導滹水，修治城隍，增加民兵，這些都是針對我朝。我朝羣臣都贊成大兵南下，朕以爲不如先禮後兵，如果你們不答應歸還關南故地，朕再用兵，爲期不晚。』

富弼一聽，心中倒抽一口氣，但是仍然不慌不忙應對：『北朝（指遼）與中國通好，則君王專享其利，臣下毫無所獲，若是與中國用兵，利益全歸臣下而君王只有災禍，所以凡是勸陛下用兵者，都是爲自己謀利，不是爲國家打算。』

『噢？』遼興宗不料富弼有此一招，滿面狐疑的問道：『怎麼說？』

『晉高祖（石敬瑭）欺天叛君，求助於北，末帝（李從珂）昏亂，人神共棄，當時中國狹小，上下離叛，所以北朝全師勝利，擄獲的金幣牛馬

不都在大臣家中，現在中國精兵數以萬計，北朝用兵，有把握一定勝利嗎？』

『不能。』說著，遼興宗低下了頭，默默沉思。

富弼眼看遼興宗心思有些動搖了，趕緊解釋：『宋朝阻塞雁門關，為的是防備西夏；疏導溏水，早在訂盟通好之前；至於城隍倒塌，不能不修；民兵缺額，不得不補，這些都不能算違約。』

遼興宗被此一駁，啞口無言，過了半晌才道：『然而朕所要得的，只是我祖宗故地。』

富弼說：『晉高祖把燕雲十六州割給契丹，周世宗收復關南之地，這都是前代之事，豈能算舊帳？不然，再往前推，燕雲十六州該算是我祖宗故地啊。』

遼興宗又不知如何回答。

第二天，興宗邀請富弼去打獵，興宗緩緩騎馬靠近富弼道：『假如宋朝歸還我關南之地，則兩國盟好，可萬世不移也。』

富弼半點不鬆口：『北朝若以得地爲光榮，南朝必以失地爲恥辱，既然是兄弟之國，豈可一榮一辱？』

兩人又說不攏，最後，興宗說：『但願兩國通婚，永結盟好。』

富弼不願和親，他推託道：『結婚之後，親家之間容易起爭執，夫婦之間情好難久，人的壽命也不一定，或長或短。』

『南朝皇帝必然有女兒。』

『有是有，才四歲，總要再過十多年才能成婚，而且本朝長公主出嫁，嫁粧不過十萬緡，遠不如每年送歲幣。』

最後，遼興宗要富弼先回國，再帶誓書（即盟約）前來，他選擇議婚或金帛之一簽約。

於是，富弼回到了京師，準備好了國書（國書即身分證明書，凡外國使者前往他國均需攜帶，所以外國大使來華第一件事就是向總統呈遞到任國書。）及誓書再到遼國。誓書中記載，若是議婚就沒有金帛，若是遼人能讓西夏向宋朝稱臣，每年增加歲幣二十萬，不能稱臣的話，每年增加十萬。

另外，富弼又上奏，要求在誓書之中增加三件事：第一、兩國國界附近不能開發建設，免生事端；第二、雙方不可無故增加兵馬；第三、不能收留逃亡人民。

富弼走到樂壽，忽然心忖：『我所建議的三件事，都是上次與遼談好的，萬一誓書中沒有寫，那可怎麼辦？』

他愈想愈擔心，最後，偷偷拆開誓書，果然不出所料，趕快飛報朝廷，所得到的答案是，這三件事口頭答應遼國便可。

口頭上說說豈能算數，遼國萬一看到誓書之中所記載的，與富弼當初答應的不一樣，天曉得會出什麼事。富弼當機立斷，一面派副使先把禮物送到遼國，同時自己馬不停蹄飛奔回京師，見到了宋仁宗。

他怒不可遏道：『執政（指呂夷簡）如此做，簡直欲置臣於死地，臣死不足惜，可是會躭誤大事呵！』

仁宗也不知出了什麼事，嚇得趕快召見呂夷簡。

呂夷簡不慌不忙，不當一回事回答：『噢，這是一點小筆誤，改過來也就是了。』

富弼見他一派輕鬆更是憤怒。在慶曆年間呂夷簡當道，與范仲淹對抗，是爲朋黨之爭，屬於范仲淹這一派的多半是正人君子如韓琦、富弼、杜衍、歐陽修等，這段故事我們慢慢再說。

富弼拿了改好的國書再去遼，遼國表示不要求婚，還是增加歲幣，但是要求誓書之中改爲宋朝『獻』幣或是『納』幣，不能只說『輸』幣，富弼絕不肯答應這種有辱國家之事。

遼興宗不悅道：『宋朝既然給我大筆金錢，明明表示怕我，又何必差此一字？』

富弼說：『不對，本朝兼愛南北之民，愛好和平，所以委屈自己，增加歲幣，哪裡可以稱得上畏懼？』

遼興宗見富弼聲色俱厲，也就不再堅持，可惜富弼爭了半天，最後，仁宗還是接受晏殊的意見，稱爲納，每年宋向遼納銀二十萬兩、絹三十萬匹（澶淵之盟乃十萬兩）。

宋史中記載，在奉使這一段期間，富弼死了一個女兒，又生了一個兒子，他都沒過問，看到家書拆都不拆，一把火燒掉，他說：『徒亂人意耳。』

閱讀心得

【第385篇】歐母畫荻。

歐陽修是唐宋八大家之一，許多人尊稱爲宋代文學之父。他不僅是照耀古今的詩人、詞人，更是出色的史學家，有道德的政治家，是值得詳加介紹的歷史人物。

歐陽修，字永叔，宋朝廬陵人（江西吉安縣），但他出生於今天四川省綿陽縣，時爲宋真宗景德四年。歐陽修的父親歐陽觀當時任綿州軍事推官。

歐陽修沒有兄姊，歐陽觀五十六歲才生下一個男孩，老年得子，興奮異常，可惜四年之後就因病去世，他的夫人鄭氏乃江南名族，此時不過才二十六歲。

歐陽觀沒有留下半點遺產，鄭氏夫人孤兒寡母，帶著歐陽修及歐陽修的一個妹妹，舉目無依。鄭氏夫人雖然知書達禮，頗有文才，古代不作興女人出外做事，縱有才學有能力也毫無幫助。

歐陽觀有一個弟弟歐陽曄在隨州擔任推官，顧念手足之情，把寡嫂及一對姪兒女接來任上，住了一段短暫期間。鄭氏夫人是一個有骨氣的女子，堅持搬了出去，靠著縫縫補補，非常吃力的帶著兩個小孩。

當歐陽修到了五、六歲大，眼看鄰居小孩都挾著書本，三五成羣一塊去私塾，他也想去。於是睜著一雙大眼睛問媽媽：『娘，我想去上學。』

一聽此話，鄭氏夫人心一緊，眼淚再也忍不住的不斷往下落。小小的歐陽修嚇呆了，不曉得自己說錯什麼話，更不明白他一語正中母親最痛心、最敏感的傷口。

其實這件事在鄭氏夫人心中盤算好久了，奈何家用拮据，能撐住一口氣活下去已經不容易了，哪有餘錢繳學費呢？

忽然之間，靈光乍現，鄭氏夫人一咬牙道：『明天起，娘教你讀書。』

第二天，歐陽修滿懷興奮跑到母親跟前，東望望，西瞧瞧，咦，沒有看見書啊！

『一開始，不用書本，先認字。』說著，鄭氏夫人拉著歐陽修的小手，拿起一根荻草莖，在沙地上畫了一橫，口中唸著『一』。

於是，就用這種克難方式，歐陽修不但認了字，而且背會詩經、左傳，這些都是在沙上製成的書本，由此可見，歐母眞是良母，也是一位才女。一直到十歲，歐陽修沒有摸過一本書，但他眞是著迷似的喜愛書本。他認識一個小朋友叫李堯輔，是隨州的世家大族，深宅大院之中，裝滿了書本，歐陽修仰望著書本，注視著筆墨紙硯，眞有說不出的羨慕。

李堯輔的功課比較差，時常請教歐陽修，爲了感謝歐陽修，他送了一套筆硯給小歐陽修，從此小歐陽修每天忙著抄書，雖然累，他忙得很辛苦，學得更扎實。

有一天，歐陽修在李家丟棄的舊筐中找到韓昌黎（即韓愈）集六卷，喜愛極了，李堯輔順手把這本舊書送給他，歐陽修如獲至寶，雖然其中有些文句不甚明瞭，但是他對韓愈文字中的氣格雄壯，不用陳言俗語，和硬句奇字極爲佩服。從此，歐陽修對古文興趣大增，這年他不過十歲。

後來，歐陽修在文學、政事上都大放異彩，李堯輔只成爲一個秀才，兩人長大之後，仍然時有往來。歐陽修是個感恩的人，曾經寫過『李秀才東園記』追述少年之事，對李堯輔當年贈送韓昌黎文集，不但念念不忘，還爲這本書一次又一次校勘。

歐陽修自幼喪父，然而，父親對他的影響很大，鄭氏夫人時常對他說：『我嫁到歐陽家時，你父親剛脫去母親喪服一年，逢年過節一定痛哭流涕：「以前吃不飽，現在衣食有餘，卻又來不及奉養母親。」當時我以爲你父親是喪母未久，後來發現他每次嘗到美味，總是食不下嚥，原來，又想到母親了，可見得你父親是多麼地孝順。』

鄭氏夫人又經常對歐陽修道：『你父親做官，總在半夜裡點著蠟燭批閱公文，不時停下來搖頭嘆息，我就問他：「你嘆什麼氣呢？」「這件案子應該要判死罪的，我想找個理由，讓他不必判死刑。」你父親回答。

我再問：「找得到生路嗎？」

你父親說：「我儘量的去做，如果實在找不到，當然應該依照法律，那麼，我和死者都沒有怨恨遺憾了。像我這樣常求其生，還不免其死，何況許多官吏，還經常求其死罪呢。」由這些小事，可見你父親爲人仁厚。』

鄭氏夫人每次說起這些往事，總是眼淚汪汪，摸著歐陽修的頭：『修兒，你要努力啊！』

歐陽修自小自母親口中崇拜父親，他日夜苦讀，努力不懈，到了十七歲那年，已在家鄉小有名氣，人人譽爲神童。這一年歐陽修在隨州應試，考試的題目是『左氏失之誣論』，就是要應考者指出左傳這部書中的缺點。歐陽修熟背左傳，又有心得，隨便摘出幾段加以評論，就是一篇文理俱勝的好文章，可是他竟落榜了，這是怎麼一回事？

閱讀心得

【第386篇】

歐陽修嫉惡如仇。

在〈歐母畫荻〉之中，我們說到宋朝文學之父歐陽修年幼喪父，家境清貧，母親鄭氏夫人極爲賢慧，用荻（即蘆草）在沙地上教歐陽修認字讀書，當他十六七歲已小有文名。

宋仁宗天聖元年，歐陽修在隨州應試科舉，他自己很有把握，人們對他也一致看好，可惜在一篇賦之中押錯了韻，名落孫山。

這次打擊使得歐陽修垂頭喪氣，他失魂落魄般回家，鄭氏夫人雖然相當失望，仍然不斷地鼓勵歐陽修。這時，歐陽修再把小時候從李堯輔家中破筐裏找到的『韓昌黎文集』拿出來研究，愛極了韓愈樸質載道的文章，與當時流行的艷麗堆砌，充滿形容詞又毫無內容的西崑體相比較，風格全然不同，他再三讚賞：『韓愈的文章如日月，寫文章就要這樣。』

經過三年苦讀，歐陽修二十歲那年，他再度應試，滿心以為一試而中，誰料又落第了。

這怎麼可能呢？歐陽修愈想愈傷心，幾乎喪失了所有的自信心，鄭氏夫人再三的鼓勵勸說，他才勉勉強強振作起精神，他冷靜下來客觀地檢討，檢討了半天，更加的不能服氣。

於是，歐陽修帶著一批文稿，前往漢陽，去拜謁名重一時的文人胥偃，

他要求胥偃品評一番。胥偃看過歐陽修的文章，發現他不但飽讀經史，而且氣格雄偉，簡直不像一個二十二歲的青年所能寫出來的。

胥偃原是一個愛才的人，見歐陽修文質彬彬，儒雅不俗，落落大方，無論古文、詩詞樣樣來得有見解、有內容，一喜之下，馬上就把他留在門下，過了沒多久，更把自己的掌上明珠許配給他。

『世伯！世伯……您不是開玩笑吧？』歐陽修以爲自己在做夢，就憑他一貧如洗，二次落第，毫無憑藉的窮小子，怎有資格娶堂堂胥大學士的千金呢？

胥偃可不是說著玩的，歐陽修回到隨州，把母親迎到漢陽，正式與胥女慧貞舉行文定。

第二年，宋仁宗天聖七年，歐陽修第三度應考，皇天不負苦心人，這回他不但中第，而且名列榜首。

天聖九年三月，他被任命爲西京（今洛陽）推官，得以跟隨尹洙學古文，議論天下大事，又交梅堯臣爲友，以詩歌相唱和。他三人聯合當時文友，共同提倡古文，由於他們多是卓絕妙文，一時傳誦，歐陽修的文名冠於天下，就在此時。歐陽修與恩人胥偃愛女慧貞成婚，最開心的當然是鄭氏夫人，可惜慧貞福氣不佳，生下一男不久便去世了，後來歐陽修再娶楊氏夫人，婚後不到一年又撒手西去，最後再娶薛氏夫人，總算是一件喜事。幸虧歐陽修是位男士，否則一定被罵爲命太硬，掃把星。

景祐三年，范仲淹因事得罪了宰相呂夷簡，被貶饒州，當時高若訥擔任諫官，他不但不上言皇帝，反而指出范仲淹種種不是。歐陽修與范仲淹並無深交，但是激於義憤寫了一封信給高若訥，大加責備。

他在信中說：『足下擔任諫官這個職位，又不敢講話，便當離去，不要妨礙其他可擔當此工作的人。你現在還能出入朝中，昂然自得，沒有一點羞愧與畏懼，正表示足下不復知人間有羞恥事也。』

高若訥接到歐陽修的信，氣得發抖，將歐陽修的信呈給仁宗，派他一個離間君臣的罪名，結果，仁宗還是聽了宰相呂夷簡的意見，把歐陽修貶爲夷陵令。

夷陵在今天湖北省宜昌縣東，乃偏遠之地，歐陽修由於見義勇爲，拔刀相助，落此下場，他自己倒不足惜，只是連累母親，內心極爲不安。

鄭氏夫人倒一點不以爲忤，她笑嘻嘻不當一回事道：『修兒，我們家本來就窮，早已習慣了，你不用擔心，也不必愧疚。』

從這番話，可知鄭氏夫人眞是一位明理又識大體的母親，難怪能夠教養出這樣的好兒子。

後來，范仲淹復起，被派經略陝西，他立刻奏准朝廷，請歐陽修擔任書記。這一方面是范仲淹感激歐陽修當年兩肋插刀，仗義執言，另一方面歐陽修也的確是能辦事的大將之才。

不料歐陽修竟一口回絕了范仲淹的美意，捨棄了多少人夢寐以求的大好機會，他對母親鄭氏夫人說：『我以前所爲，豈是爲自己的利益；范公被貶，我也被貶，同退也就罷了，用不著同進，否則人家眞把我們當朋黨了。』

范仲淹接到歐陽修的信，大爲佩服他的光明磊落，至剛無欲，的的確確是標準的正人君子。連宋仁宗這位時而糊塗的皇帝，看到歐陽修的論事切直，嫉惡如仇，也不禁對侍臣說：『像歐陽修這種人，何處得來？』但是好人老是被惡人讒言，除了被誣爲朋黨外，歐陽修又遇到了一椿窩囊事。

閱讀心得

【第387篇】

庭院深深深幾許。

在上篇〈歐陽修嫉惡如仇〉之中，我們說到，歐陽修爲了范仲淹得罪宰相呂夷簡，結果也連帶被貶爲夷陵縣令，後來范仲淹復起，辟歐陽修爲書記，歐陽修以『同退不宜同進』，婉拒了范仲淹的好意。

慶曆五年，朝廷之中小人又起朋黨的讒言，范仲淹、富弼、杜衍、韓琦等正人君子都被罷去外州職位，歐陽修又激於義憤上書給皇帝：『臣見古來小人想要讒言忠賢，只有兩個辦法，指責他們爲朋黨，誣賴他等專權，這是爲什麼？因爲趕走一個善人，其他善人還在，不合小人利益。同時這些善人都是皇上所信任的，不可能以他事動搖，只有專權是皇帝所最痛恨的，所以小人要誣指范仲淹等爲專權。』

這封奏疏呈上去以後，皇帝久久沒有批示，但是朝廷之中一批小人愈加痛恨歐陽修之鯁直，非去之而後快。於是他們想到一條毒計：原來歐陽修有一個妹妹（見〈歐母畫荻〉），嫁給張龜正爲續絃，張龜正不久去世了，歐陽修之妹未生子女，就帶著張的前妻所生之女（大概七歲左右）回娘家，這個小女孩長大之後行爲不檢，收押在開封府。

老實說，外甥女張氏犯法，與歐陽修八竿子扯不上關係，況且這名外甥女還不是歐陽修之妹親生的，但是小人之流暗中支使獄吏硬把歐陽修扯

庭院深深深幾許
楊柳堆煙簾幕無
重數玉勒雕鞍遊
冶處樓高不見
雨橫風狂三
黃昏無
花不語亂
鞦韆去

在一塊，使得歐陽修被貶滁州（今安徽滁縣）。

滁州山明水秀，民風淳樸，以歐陽修的治事長才將滁州治理得井井有條，深得民衆之愛戴。他在治理公事之餘最愛遊山玩水，尋幽訪勝。有一天，他在深山之中發現一座惠覺寺，住持智仙法師，言語不俗，兩人相見甚歡，在草亭之中，一坐就是老半天。

此一草亭下臨清泉，野花遍佈，歐陽修當即命名爲醉翁亭，他自稱爲醉翁，並因此寫了一篇『醉翁亭記』，其中有一句『醉翁之意不在酒，在乎山水之間也』，是家喻户曉的名句。

在滁州過了兩年，他又被遷往潁州、揚州，在外十二年，宋仁宗方才召他入京，仁宗命他修新唐書、五代史。後代修前代之史書，乃爲中國歷史之慣例，通常史書上的作者只列官位最高的一人，當時歐陽修官位最高，可是新書成立之後，他卻在上面加了宋祁的名字，歐陽修說：『宋祁先生早在我之前，對列傳一部分的撰寫，花了很大的工夫，我怎能掩其名而奪其功？』

當時的人聽到這件事，都讚美歐陽修氣度寬宏，爲人謙虛。

嘉祐二年，歐陽修擔任主考官，這段時代的青年學生喜歡寫一些奇澀怪異的文字，歐陽修一向痛恨這種用形容詞堆砌，讓人看不下去的矯情文章，決心用考試改正歪風。考試領導教學，中國自古皆是如此，一直到現在。

當時有個人叫劉幾，最愛用辭澀言苦之句，卻是大家模仿的對象，歐陽修在閱卷時，看到密封的卷子中有一篇特怪，他拿起朱筆寫上『試官刷』三個字，然後一路塗抹到底，並且貼出榜示，說明凡是再寫這種怪文者一律名落孫山。

這次考試，歐陽修錄取蘇軾、曾鞏、蘇轍等賢才，卻遭到劉幾等寫怪文者不滿，歐陽修回到家中，竟然收到一封『祭歐陽修文』，詛咒他早死，歐陽修一笑置之。

從此之後，宋代文體又趨於典雅正派，連劉幾也改名爲劉煇，兩年後重新參加考試，也獲得錄取。

歐陽修是苦讀出身的窮學生，他早年受到胥偃等人協助，絲毫不敢稍忘，現在他自己功成名就，更效法胥偃的愛才心理，不論青年才俊、老年才俊，只要是人才他都提拔，並毫不吝嗇的讚美、鼓勵，蘇東坡、蘇洵、王安石、曾鞏都出自他門下。

由於歐陽修的方正，當他奉使契丹時，契丹主派了四位貴臣陪宴，並且特別聲明：『這可不是我們的常規，而是因為你的名重。』

當然，歐陽修之所以被尊為宋代文壇盟主，他自己的文才是一流的，他不僅是古文大家，詩、詞、歌、賦樣樣精通，無論是贊成他的或反對他的，都佩服他的文學作品，蘇東坡讚美歐陽修的文章是：『論大道似韓愈、論事似陸贄、記事似司馬遷、詩賦似李白。』推崇備至。這四個人的故事，我們都介紹過，有興趣的讀者不妨翻翻前面，互相參照。

最後我們以一首歐陽修著名的詞『蝶戀花』結束對此一大家之介紹。

『庭院深深深幾許？楊柳堆煙，簾幕無重數。玉勒雕鞍遊冶處，樓高不見章臺路。雨橫風狂三月暮，門掩黃昏，無計留春住。淚眼問花花不語，亂紅飛過鞦韆去。』

——庭院深深，到底深到什麼程度？只見叢叢楊柳籠罩在煙霞之中，彷彿隔了許多層紗。我騎著一匹有翠玉馬勒，華貴馬鞍的駿馬到處逛逛，但見樓台矗立，找不到當年的章臺路了。在三月裡，雨暴風狂，就算閉門鎖住黃昏，也沒法鎖住春天。我含著淚水向花兒詢問，花兒不開口，只見一片片紅色花瓣飛過鞦韆。

閱讀心得

【第388篇】

狸貓換太子的眞相。

在〈歐陽修嫉惡如仇〉之中，我們說到，歐陽修爲了替范仲淹抱不平，被貶滁州，現在就來談范仲淹的故事。

范仲淹字希文，唐朝宰相范履冰的後代，蘇州吳縣人。他的身世非常悽慘，兩歲的時候，父親去世，母親改嫁長山朱氏，他也改姓爲朱。年紀稍大之後，范仲淹知其家世，流著眼淚拜別母親，一個人住到山東長白山醴泉寺讀書，後又前往睢陽應天書院就讀。

由於缺乏經濟來源，范仲淹的書唸得非常辛苦，他沒有錢買米，只好每天煮一碗粥，待粥結凍，用刀切爲四塊，早晚各取兩塊，折斷數莖野草沾著鹽巴胡亂果腹。到了冬天，氣候嚴寒，無火取暖，他也照樣用冰水洗面，晝夜苦讀不息。

皇天不負苦心人，後來范仲淹果然考取進士，做到廣德軍司理參軍，把母親大人迎回家中奉養。大文學家晏殊在應天府爲官時，聞知范仲淹的才名，推薦他擔任秘閣校理。

范仲淹博通六經，尤其對易理極有研究。他在〈岳陽樓記〉這篇文章中述說『先天下之憂而憂，後天下之樂而樂』的抱負，天下人還沒有憂愁之時，我先憂國憂民，等到天下人都享樂了，我再享樂也不遲。范仲淹這

種精神，感動了宋朝一些有爲青年，共同提倡氣節，蔚爲風氣。
天聖七年，范仲淹上疏請劉太后還政仁宗，沒有結果。這劉太后是何許人也？乃是家喻户曉『狸貓換太子』故事之中的老巫婆——劉后。
根據七俠五義、包公案及平劇等民間故事之中記載：宋朝包拯前往陳州放糧，回經趙州橋，忽起一陣怪風，把轎頂吸去了，包公知道是地方上有冤屈，立刻住入天齊廟，通知老百姓，前來申告。
於是有一位瞎眼的老婆婆，一拐一拐前來喊冤，她說自己是當今皇太后李娘娘，因爲被劉妃陷害，流落趙州橋，在寒窰之中乞討維生。
包公原先不信她的話，等到老婆婆拿出一塊黃絹，上面有寇準題句，隱隱敘述冤情，乃請老婆婆上座而拜叩之。

老婆婆眼中流淚，滔滔不絕的告訴包公，在二十年前，宋眞宗兩位貴妃——李妃、劉妃都懷了孕，眞宗十分高興，決定哪一位生了兒子，立爲正宮娘娘，孩子也封爲太子。

李妃先生了一個男孩，劉妃爲了害她，便命總管太監郭槐拿了一隻剝了皮毛、光溜溜、血淋淋，看起來叫人起雞皮疙瘩的死狸貓，換了剛生下的太子。再把太子裝在籐籃之中，要宮女寇珠扔到金水橋下。

眞宗皇帝發現李妃生下一個妖怪，大爲生氣，把李妃打入冷宮。

同年十月，劉妃也生下一個小男孩，眞宗大喜，立刻封劉妃爲皇后。

過了六年，劉妃生下的太子因病去世，眞宗萬分痛心。

有一天，某王爺入宮請安，帶著他第三個兒子，這小男孩與死去的太子年歲一般，眞宗愈看愈歡喜，傳旨立爲太子。其實，這位三世子正是李妃之子，乃當年宮女寇珠不忍心殺害太子，由宮人陳琳悄悄抱出宮，讓王爺撫養長大，是爲仁宗皇帝。

包公了解原委之後，當下請李娘娘上座，暫認娘娘爲母親，一塊回到京師。

然後，包公命軍民在宮外演花燈，專演一些不孝兒子的戲，請仁宗同往觀看。仁宗看到這些花燈很不高興，責備包公爲何花燈盡是不孝之人，應該處罰那些製作花燈之人。包公立刻跪下，大膽地對仁宗說：『不要處罰那些製作花燈之人，眼前就有一個不孝之子。』仁宗很驚奇地問是誰，包公乘機把李后之事奏明聖上。

仁宗當然不信，含怒轉回宮中，召見陳琳詢問，陳琳一一道出，此時宮中忽然傳出劉后自盡，仁宗這才相信，遂得母子團聚。

以上所講的是一般傳說狸貓換太子的大概，事實上，根據宋史記載，仁宗親生母親確爲李妃，她原本是劉妃的侍女，生下一子之後，劉妃據爲己有，李氏也不敢反抗。

眞宗去世之後，十三歲的仁宗即位，由劉太后垂簾聽政，劉太后性情精敏，通曉文史，號令嚴明，把國家大事治理得井井有條。

仁宗皇帝一直不知他另有親娘，也沒有人敢在仁宗面前饒舌，一直到了李氏得了重病，才有人提議，應該加封李氏爲宸妃。李宸妃死了，劉太后要用普通人之禮葬之，宰相呂夷簡力爭，劉太后結果還是用水銀寶棺，以一品之禮葬了李宸妃。

第二年，劉太后也死了，仁宗親政，有人告訴他這個事實，仁宗嚎啕痛哭。范仲淹認爲此時不宜多指責劉太后之惡，他委婉勸仁宗：『應該掩其小過，全其大德。』

仁宗開棺，發現李宸妃面色如生，冠服亦如皇后，這才知道劉太后似乎也沒有大家說的那麼壞，遂尊生母李宸妃爲莊懿皇太后，劉太后爲章獻太后。

生育之恩固然偉大，養育之恩也很偉大，正史中的眞相雖然比較無趣，是不是比狸貓換太子多一分人情味？可見中國人是十分厚道的。

閱讀心得

【第389篇】波上寒煙翠。

在〈狸貓換太子的眞相〉故事裡，我們說到，宋仁宗發現生母爲李妃，不是劉太后以後，頗爲激動，厚道的范仲淹勸皇帝多多思念劉太后養育之恩，不要聽信挑撥之詞。於是，宋仁宗下詔『毋談論太后之事』。

天聖七年冬末，江淮一帶起了蝗蟲之災，以憂國憂民爲己任的范仲淹請求賑災，沒有結果。他直言地問宋仁宗：『假如宮中半天沒有糧食，可不可以呢？』仁宗聽了，起了同情之心，遂派范仲淹去開倉賙濟災民。

在仁宗慶曆年間，呂夷簡是最紅的一個大臣，他在中書省任宰相二十年，宋仁宗對他是完全信賴，他所任命的官員都出自其門下，或者與他有特別的交情。

范仲淹看不過去，畫了一幅百官圖呈了上去，對呂夷簡說：『你看，這樣升遷是公平的，那樣是不公平的，凡爲破格任用的官吏，其決定權可不能全操於宰相之手。』

過了兩天，他二人又因爲建都之事起了爭執，呂夷簡對仁宗說：『范仲淹所言，全是迂闊不切實際的理論。』范仲淹則獻『四論』給皇帝，隱隱約約指出，若是再對呂夷簡深信不疑，他日必有王莽之禍。

呂夷簡上書仁宗，指責范仲淹：『離間君臣，引用朋黨。』最後，范

仲淹被貶饒州。當時朝中正人君子紛紛爲他打抱不平，歐陽修由於氣憤諫官高若訥，身爲諫官卻不阻止，罵他『不知人間有羞恥事』，也連帶被貶斥（請參考〈歐陽修嫉惡如仇〉篇）。

由於有太多輿論傾向范仲淹，仁宗似有悔悟，其後西夏李元昊叛變，仁宗再度起用范仲淹、韓琦防禦西夏。

西夏拓跋氏，原爲黨項族，因爲助唐討平黃巢之亂，賜姓爲李，宋眞宗時封李繼遷爲西平王，其子李德明繼立，對宋朝也頗恭順。

李德明之子元昊通曉漢文，他屢次勸父王不要再對宋朝稱臣，德明說：『我早已經厭戰，何況我族十年來身上穿著錦繡全爲宋朝所賜。』

元昊不以爲然地反駁：『何必貪圖錦繡，稱臣於人？』因此當他繼立之後，在仁宗寶元元年自立爲帝，建國號爲大夏，使得宋朝大爲頭痛。原先派遣范雍，去對付西夏，由於范雍爲人平庸懦弱，被西夏打得落花流水。

現在改用范仲淹，一開始便氣象不凡，他一到邊境，加強訓練，不時檢閱州兵，西夏人彼此互相警告：『今天這個小范老子，腹中自有數萬甲兵，不容易對付。』

到了來年正月，范仲淹分析：『正月塞外太冷，不如待春天，賊馬瘦人飢，大軍再出發。』可惜這項策略沒有被接受，以致宋軍大爲失利，方才改用嚴密的防守政策。

韓琦與范仲淹同心合力開發邊區，范仲淹在慶州一帶招撫六百多位羌酋，誓死不爲西夏所用，羌人對范仲淹十分敬愛，因范仲淹爲龍圖閣學士，都尊他一聲龍圖老子，邊境還流行一句歌謠：『軍中有一韓，西賊（指西夏）聞之心膽寒，軍中有一范，西賊聞之驚破膽。』用以讚美韓琦、范仲淹。元昊大懼，遂對宋朝稱臣。

由於有此功績，到了慶曆三年，當時諫官歐陽修，盛讚范仲淹有宰相之才，仁宗任命范仲淹與富弼同時爲相。

那時，宋仁宗表現出銳意求改革之意，范仲淹明明知道中國歷史上改革，變法不易成功，還是上了十事疏，提出十大改革計畫。主要的重點爲澄清吏治，賙濟民生，改革兵制，建立國家威信。

其中第一點『明黜陟』就引起既得利益大臣之不滿，黜（革除之意），陟（升職之意），范仲淹的意思是要明明白白訂出憑功過，決定升級降級，由於當時宋朝規定文官三年一遷，武官五年一遷，也不管你做事做得好不好，反正大家看年資，這種賢與不肖同時並進，當然阻礙了國家發展。

范仲淹拿起簿子一一審查官吏，凡不才者一筆勾去。富弼見了不忍道：『一筆勾去很簡單，焉知這一家人哭得多傷心！』

范仲淹回答：『一家哭，何如一路哭。』對啊，趕走一個不合適的官吏，他一家當然難過，可是朝中庸官充塞，不是使全國每個人都一路哭到底？

新法頒行之後，對於一般沒有用，貪吃懶做的官員自然是一個大打擊，於是又羣而攻擊范仲淹，又起『朋黨之論』，范仲淹無可奈何，變法未成，只有再與富弼去守邊境，死在任上。

范仲淹不但在政治上有所作爲，他也是一位大詞家，譬如人們所熟悉的一首詞『蘇幕遮』——『碧雲天，黃葉地，秋色連波，波上寒煙翠；山映斜陽天接水，芳草無情，更在斜陽外。黯鄉魂，追旅思，夜夜除非，好夢留人睡；明月樓高休獨倚，酒入愁腸，化作相思淚。』

——碧藍的青空，黃葉鋪滿大地，一片秋色，氤氳一江嵐翠，遠山映著斜陽水天一色，可嘆芳草無情，更在斜陽外。

黯黯鄉愁，幽幽旅思，除非每夜都有一個美夢，伴人入睡，否則又只好對著明月，獨在高樓低迴獨倚，或者藉酒消愁，更惹來無限血淚相思！

閱讀心得

【第390篇】

狄青的刺青。

提起『狄青』二字，他也可說得上是歷史上響叮噹，大家所熟悉的一號人物。

狄青，字漢臣，汾州西河人，從小善於騎馬射箭，爲人謹慎小心，沈默寡言。

寶元初年，西夏李元昊起兵作亂，仁宗下詔選擇衛士遠守邊疆，宋朝重文輕武，士卒膽小畏懼，狄青倒是向來不怕，時常自請爲先鋒，短短四年之中，參加二十五場重要戰役，前後中了八次流矢。有一回，在安遠之役中，受傷頗重，一聽說賊人前來，跨上駿馬又奔向前線。狄青衝入敵陣時，總是披頭散髮，臉上戴著青銅面具，猛看像個鬼，武功又高強，所向披靡，個個見他都怕。

尹洙發現了這個人才，大喜過望，把狄青推薦給韓琦、范仲淹。范仲淹頻頻微笑道：『此良將也。』並且送了一本《左氏春秋》給狄青，誠懇地對他說：『一個做將領的，若不知古今，充其量僅僅是匹夫之勇而已。』

狄青捧著《左氏春秋》回去，努力研究將帥兵法，對歷史有所了解，從此之後，更聞名天下，由於軍功彪炳，先後做過西上閤門副使、秦州刺史、惠州團練等高官，漸漸的，連京城裡的皇帝都聞知狄青的大名。

皇祐四年，狄青被徵入京師拜爲樞密副使。當他入得宮中，行完大禮，一抬頭，仁宗發現狄青臉上有著醜陋明顯的刺青——這是宋朝軍人共有之標誌。

原來，宋朝有鑑於五代之時，武將跋扈，易君廢帝視同兒戲，存心剝削武將之權，壓低軍人的社會地位，甚且帶領大軍的統帥也用文人，例如范仲淹便是文人。

在這種情況下，武人普遍受到輕視，誰還願意當兵？宋朝是採用募兵制，遇到荒年，活不下去的農夫只好心不甘情不願的上戰場。可是當災荒一過，這些軍人又紛紛逃回田中，爲了防止逃兵，宋朝政府採取一項很不人道的措施——在臉上刺上番號，讓兵士一輩子難逃掌握。

狄青臉上的刺青，一晃已有十多年了。宋仁宗見其爲國立下汗馬功勞，還畫著刺青到處走，拿出特殊配方的良藥，要幫狄青把臉上的字去掉。

不料，狄青指著自己的臉道：『陛下由於臣子有功，不問出身，臣所以有今日，願留此刺字，用以鼓勵軍人，知陛下但重功勳，不問門第。』

我們今天國內有些歹徒，在臉上身上刺了許多龍蛇一類的花紋，自以爲是英雄人物，江湖氣概，卻因爲沒有讀過歷史，不知道刺青是羞恥的象徵，眞是可憐。

當然，宋朝在軍人臉上刺青，是大大破壞軍心士氣，難得的是狄青不以爲忤。皇祐元年，南方的蠻族儂知高造反，進攻邕州（廣西南寧），廣州騷動，仁宗非常發愁，狄青上表，自請出征，他說：『臣出身行伍，非戰伐無以報効國家，願擒拿賊首向陛下致敬。』

仁宗乃命狄青爲荊湖宣撫使。狄青治軍一向嚴明，他到達之後，當下傳令：『不得帥部命令，不許擅自出兵交戰。』可是廣西陳曙竟然自率八千步兵，偷襲崑崙關，被儂知高打敗。

狄青火大了，一大早召集諸將，把陳曙等三十多人以『令之不齊，兵所以敗』的罪名推出去問斬，嚇得其他將領兩隻腿不斷地抖索。

然後，狄青休兵十日，故弄玄虛，第十一天，儂知高以爲宋軍還在放長假，狄青人馬已殺到崑崙關，蠻兵本有一股中原軍比不上的蠻力，但是眼見狄青手執白旗，指揮著兩旁夾擊的騎兵，簡直像變戲法，儂知高竄入大理，狄青殺死蠻族數千人，獲得金帛數萬、生畜數千，大獲全勝，儂知高兩年後病死大理，動亂平定。

想當初，儂知高作亂，朝廷束手無策之時，曾有交趾願出兵助討，朝廷頗爲心動。狄青反對，他上奏仁宗：『假外兵，除內寇，萬一交趾貪得忘義，因而作亂，又該如何？』狄青是讀過唐朝借助回紇兵，結果無法收場的歷史，才有此先見之明。

狄青爲人，不喜多言，但其運籌作戰，必有事先詳密的計畫，他對部下治軍極嚴，另一方面又與士卒同甘共苦，而且立了大功，總把功績推給部下，所以極受士兵敬愛，每逢出入樞密府任所，士卒百姓都舉起大拇指，甚且包圍歡呼，害得狄青的馬匹都動彈不得。

宋朝最怕軍人攬權，狄青功在國家，操守又好，簡直挑不出毛病，於是，有人謠傳狄青家中的小狗頭上生了一對角，甚爲奇怪，又說京師淹水時，狄青家人逃入相國寺，行止殿上，頗爲可疑。過了不久，朝廷召狄青出守陳州，不讓狄青掌管兵權。又過了一年，狄青死在任上。

北宋積弱，不論對契丹、對西夏，都是十打九敗，而且還要每年賠上銀兩、絹帛，狄青平南，是何等威風勝利，卻又對他疑神疑鬼，犧牲一位可貴的將才，宋朝眞是活該對外連連失利了。

閱讀心得

【第391篇】

王安石自甘淡泊。

在〈狄青的刺青〉之中，我們說到，狄青平儂知高乃北宋一件大事，因爲宋朝對西夏、對契丹用兵連連失敗，每年要繳巨額的歲幣，宋朝是又弱又窮，看在有心人眼中，眞是痛心疾首，急思改革。『先天下之憂而憂』的范仲淹是如此，今天我們要介紹的王安石更是如此。

王安石，字介甫，晚年號半山，北宋撫州臨川（今江西省臨川縣）人。他天資聰敏，超人一等，過目即終身不忘，寫起文章來，動筆如飛，旁人看他彷彿不經意隨手寫寫，等到看過他寫的文章，又無不讚美一聲：

『妙！』

他有一個好朋友名叫曾鞏，也是宋朝有名的文學家，曾經把他的文章拿給歐陽修看，最懂得愛才的歐陽修也讚不絕口。

宋仁宗慶曆元年，王安石入京城禮部參加考試，考上進士第四名，這時他不過二十二歲，歷任鄞縣縣令、舒州通判、提點江東刑獄等地方官。最奇怪的是他一再拒絕高職，始終只願意擔任外郡的小官，在地方上築水壩、改革學校、成立農民貸款。政績出色，使得滿朝文武都想一見這位會寫文章、又會辦事的幹練人才。

王安石是一個非常淡泊，完全不考究衣食享受的人，據宋朝人文集的

記載，有一次幾個朋友陪他去廟裡的澡堂洗澡，朋友嫌他老是不換外袍，趁他洗澡之時，偷偷把舊袍收起，換了一件新袍，王安石沐浴之後，自然而然穿著新袍步出，完全沒有發現朋友的玩笑。

又有一天，王安石的朋友對他太太說：『我現在發現了，他最喜歡兔肉。』

『哪有這回事，我不相信。』王太太篤定地搖頭：『他從來不曉得自己吃些什麼，怎麼會突然開始喜歡吃兔肉呢？太奇怪了。』

『因爲一桌的菜他都沒動，只一個勁兒吃兔肉。』

王太太想了半天才開口：『那盤兔肉擺在哪兒？』

『就在他面前。』

『難怪了，你們明天拿一盤別的菜，放在他面前，再看看結果。』

於是，第二天，朋友再請王安石用餐，盯著他瞧，發現王安石果然只吃面前的菜，全無視於放在桌角，他昨天猛挾不停的兔肉。

另外，在司馬光門生邵伯溫的一本書『邵氏見聞錄』中記載一則故事：

王安石考中進士不久，在揚州擔任太守幕僚，每晚讀書，通宵達旦，到了黎明，手倦拋書，在椅子上打瞌睡。往往一覺醒來已經太遲啦，來不及刷牙洗臉，蓬頭垢面就急奔衙門。

太守韓琦見王安石一臉狼狽，以爲他縱情聲色，以前輩資格告誡他：

『我勸你不要貪玩，多利用時間用功。』

王安石也沒多加解釋，退下來對友人說：

『韓公不了解我。』

韓琦的的確確不了解王安石，王安石沒有心思去想穿衣、吃飯這些生活小事，他日日夜夜苦思如何讓宋朝強大起來。當時宋朝是又窮、又弱，政治消沉委靡不振。

爲什麼會窮呢？原來宋朝有四種沉重的負擔：

一爲養冗兵（冗是多而無用之意），宋朝是募兵制，國家要負擔一大筆經費，再加上宋朝削弱地方兵權，擴大中央禁軍，禁軍愈加愈多，費用一天比一天大。

二爲養冗官，宋朝重文輕武，對文官待遇極高，又想用官祿套住讀書人，官員名額日益膨脹，尤其宋朝官吏之子孫承祖上餘蔭，小小年紀已獲一大筆俸祿，對國家財政而言，不是一件好事。

三爲郊賚，郊賚是指祭天地所用的費用，在前面〈富弼的外交〉中，我們說過宋眞宗到泰山祭天花費驚人，這實在是一種毫無任何意義的浪費。

四爲納幣，宋朝與契丹、西夏用兵，打敗了仗，每年要奉上大批金銀，國家焉能不赤字連連。

宋朝之所以積弱不振，其根本關鍵在於宋太祖杯酒釋兵權之後，他害怕武人專權，削弱地方大權，用文人代替武將；他又怕文人跋扈，鼓勵諫官彈劾執政。怕來怕去都是消極的防止弊端，於是，武將沒有力量造反，卻也沒法作戰，文人不敢跋扈，卻也不能有所作爲，整個國家沒有一點蓬勃勃的積極氣象。

不但王安石看到這種病態，富弼、司馬光、歐陽修也深以爲憂慮，蘇東坡形容當時天下人民『驕惰脆弱，論起戰鬥，就縮頭股慄，聞到盜賊，便掩耳不聽，士大夫也不談兵事，認爲是生事擾民。』

宋仁宗嘉祐五年，派王安石爲三司度支判官，一向不肯入京的王安石終於來了，大家都很興奮。他入朝後，立刻上了一封長達萬言的奏章，他指出財政方針應『因天下之力，以生天下之財，取天下之財，以供天下之費』。這是一篇了不起的政見，可惜，仁宗看過之後，順手擱在一旁，兩年後，仁宗去世，英宗即位，王安石也因爲母喪，返回江寧，整個英宗一朝，沒有再啓用王安石，一直到了神宗時代，王安石才再度出馬。

閱讀心得

【第392篇】

王安石變法。

王安石對飲食享樂完全沒有興趣，一心一意希望把積弱不振的宋朝，帶向富國強兵。可是宋仁宗、宋英宗都沒有重用他。

到了宋神宗時，情況不一樣了。

宋神宗是一個好學深思的君主，非常孝順，也懂得尊師重道，當他還是太子之時，韓維爲記室（秘書），兩人相處極佳，韓維每每對國家大事有精闢的見解，神宗聽得相當入神，韓維總是謙虛客氣地回答：『這不是我想出來的，這些都是我的好朋友王安石的看法。』

一次又一次，每一回神宗拍手叫絕的主意，韓維都說是王安石的，久而久之，神宗對王安石仰慕極了。神宗即位時，年方二十歲，年輕的皇帝，對暮氣沉沉的國家憂心忡忡，他熱切地希望能把國家帶向新的氣象。

神宗一當上皇帝，立刻起用王安石出任江寧府，過了幾個月，又召他爲翰林學士入京，神宗終於見到了心儀已久的王安石。

神宗問王安石：『治理國家以何爲先？』

『以術爲先。』王安石回答。

神宗又問：『唐太宗如何？』唐太宗一直是神宗最欽佩的賢君。

王安石卻說：『陛下應當效法堯舜，堯舜之道，至爲簡易而不複雜，

至爲重要而不迂闊，至爲簡單而不困難，可惜，後代的人不能明瞭，以爲高不可及。』

神宗聽了，頗爲動心的說：『卿可以輔佐朕，共同達到堯舜之道。』以後上朝，神宗總是摒退其他朝臣，與王安石二人密談，愈談愈有味道，君臣二人非常投機，有如漢朝劉備見到諸葛亮般如魚得水。終於，在神宗熙寧二年三月，以王安石爲副宰相，主持變法，這是中國政治史上一件重大之事。

首先，王安石請立『制置三司條例司』，所謂制置是編訂的意思，三司指的是北宋戶部司、度支司、鹽鐵司三個財政機構，條例即法規之意；王安石設立這個機構的目的，是在統一掌理編訂國家預算財政法規的樞紐。

王安石在民政方面的措施有：

『青苗法』，中國古代農民很可憐，尤其當稻田中的苗還是綠色青青，放在倉庫中的糧食已賣光吃光，在這青黃不接之際，只有向豪富借錢，然後用高利貸償還。王安石時的青苗法就是要各州縣貸款給農民急救。

『免役法』是免除農民勞役之苦，命百姓按貧富，分等出錢，再由政府僱人服力役。

『方田均稅法』，方田是清理田籍，均稅是平均田賦，即土地重劃，公平納稅。

『農田水利法』是一切有關農田水利建設，督導農民改良土地種植，修建陂塘圩埠。

『市易法』，由政府出資，平衡物價，另一方面商人可以貸款資金，性質類似商業銀行。

『均輸法』，凡各地上貢到京師的貨品稱爲『輸』，由於每件貨品產地有遠近，價錢有貴賤，自然造成不均，王安石以爲，天下貨物，無論偏聚在哪兒都不合理、不公平，所以有此建議。

另外，王安石認爲兵在精不在多而有『裁兵法』，他的裁兵並非消極裁軍，而是積極地加強戰鬥力，於是而有『置將』、『保甲』、『保馬』，同時，王安石最重視教育，宋朝人熱中於科舉不重視學校教育，王安石以爲培養人才是國家根本之道。

王安石的計畫相當細密周詳，法良意美，神宗皇帝十分欣賞，再加上王安石曾經對神宗說：『陛下，以天下之大，人民之衆，百年承平，學者不爲不多，爲什麼沒有一位賢臣出來輔佐陛下，豈不怪哉？一定是陛下沒有固定的政策，不信任賢才，就是有賢才，他們也會因政客小人阻礙而罷官。』

『每一朝代都有小人。』神宗說：『堯舜時代也有著名的四兇。』

『不錯，正因爲堯舜看清楚四兇的眞面目，處以死刑，才使得當時的賢臣能全心全意爲朝廷効力，假如四兇繼續爲亂，賢臣早走光了。』

神宗對王安石的道德、文章、才識十分欣賞，再加上他年少氣盛，像一匹待發的野馬，願意用赴湯蹈火的決心與王安石共同作戰。

可是，當王安石的新法一公佈，抗議接二連三繼起，整個朝廷上上下下下鬧哄哄的反對他，連具有聲望的學者、御史也不贊成他，新法一開始就蒙上一層陰影。今天每個國家都把經濟發展列爲第一優先，青苗、市易、均輸都在追求國家的均富，王安石本人也是一心爲國，然而新法究竟有什麼地方不對呢？

閱讀心得

【第393篇】

看似尋常最奇絕。

在上一篇〈王安石變法〉之中，我們說到，宋朝積弱不振，一心一意救國圖強的王安石在神宗皇帝的支持之下，開始大規模的變法行動。然而，這些針對時弊的救國大計，大部分是行不通，完完全全失敗了，怎會如此呢？

首先，一開始，王安石就得罪了在政壇上有力量的君子之士，宋朝重文輕武，讀書人的地位很高，所謂『禮賢下士』也是中國士人向來的傳統，因此劉備請諸葛亮出山，要三顧茅廬。

在前兩篇〈王安石自甘淡泊〉之中，我們可以發現他是一個邋邋遢遢，不拘小節，滿腦子新法的理想主義者，而宋朝理學盛行，最注意個人修養，禮儀規範，所以蘇東坡的父親蘇洵看不慣王安石的衣著、習慣，認爲他很虛僞。

蘇洵在〈辨奸論〉一篇文章之中，指責王安石：『穿著俘虜一般的衣服，吃一些狗豬的食物，囚首喪面而讀詩書，這哪兒近人情，凡是不近人情的，很少不是大奸大惡。』

另外，根據宋人邵伯溫的文章裡提到一個故事，有一天仁宗皇帝宴請大臣釣魚，王安石對釣魚沒多大興趣，於是順手拿著桌上的魚餌來吃，吃

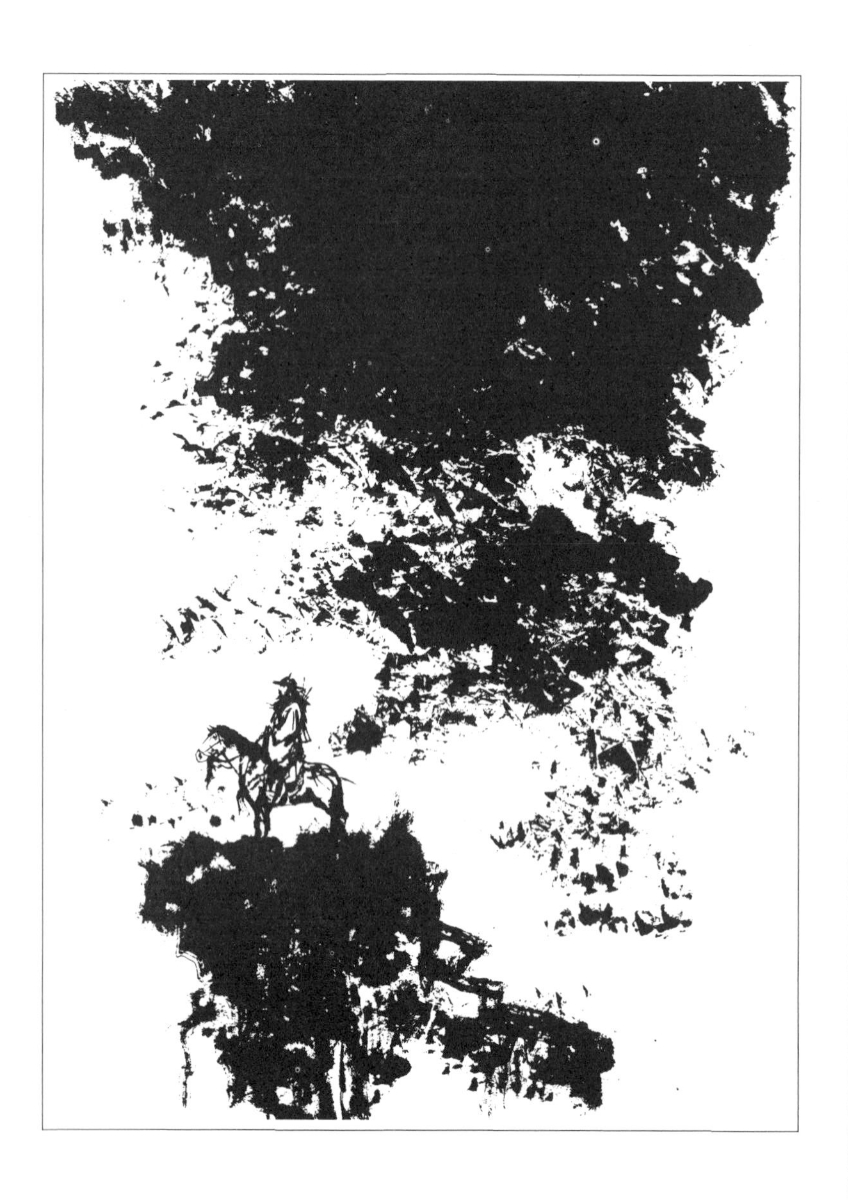

著吃著，竟然把整盤魚餌吃個精光，仁宗皇帝因此以爲王安石是個僞君子。

這段故事眞實性不高，魚餌怎麼能吃？而且哪會吃個不停，旁人也不阻止。不過由此可見，王安石的言行特異，讓當代讀書人相當不滿。

王安石不願意禮賢下士也就罷了，他的個性十分執拗，聽不進人家任何意見，他也不願意謀求人事上的諒解與妥協，他說自己是『天變不足畏懼，祖宗不足取法，議論不足體恤。』所以，打從開頭起，王安石已失去『人和』的因素，再加上中國人一向缺乏『成人之美』的美德，朝野上下就等著看熱鬧了。

再說，王安石的新法也有值得討論之處，他純粹從立法的本身著想，忽視了執法時在技術上的困難與人事上的障礙。以青苗法爲例，青苗法的原意是，當田中稻苗青青，倉庫上糧食已盡，在這個青黃不接的當兒，由政府貸款給農民，使農民不要受到高利貸的剝削。

青苗法怎麼說都是良法美意，卻在執行上發生了偏差。原來執行的官員，因爲擔心貸款給農民之後，萬一天災人禍，農民到期還不出錢，也償還不了利息，那該如何是好？於是，官吏不把錢借給需要錢的農民，硬要強迫商家貸款，因爲商人有個店爲擔保，不怕他到時候不還錢。

所以，要借錢的農人借不到錢，不要借錢的商人又非借不可，古代不比今天，資本愈多愈好，小小雜貨店非逼著貸款不可的結果，竟然有因此上吊的。

王安石沒有細察其中道理，他也沒有先辦一個訓練班，訓練地方官如何施行，反正青苗法貸款若是不能達到配額，他就大發脾氣，處罰貸款不力的官員。

官吏爲了迎合上意，設計出種種擾人的貸款辦法，古代又沒有報紙，一般人民不知道借款利率到底是多少，若干不肖官員可以上下其手，從中取利，還捏報人民得到貸款『歡呼感德』的假報告矇騙朝廷。

再譬如說方田均稅法，用今天的話來說即爲土地重劃，可是，今天土地丈量是專門學問，甚且用飛機在空中拍照，以求精確，古代用尺量來量去，其中自然容易產生弊端。

王安石眼中，凡是不合他意見的都是流俗、小人，元老重臣既不支持他，只有一羣野心勃勃的新進幫忙推行新政，我們不能批評這些人全是圖謀不軌，但是他們非常急切想立竿見影的態度，在保守的中國社會是行不通的。

最後，王安石不得不在熙寧七年上書稱病辭職，神宗皇帝對他戀戀不捨，一直到熙寧九年才正式准了辭職書，王安石退居江寧，研究佛法，在元祐元年病逝。

當時反對新法最力的司馬光在他死後，仍然推崇他是『文章、節義，過人處甚多』，事實上王安石的變法是重理想，輕現實，反對派的則只看見現實，忽略了理想，雙方都不是壞人，卻不免互相鬧意氣，若是共同識大體，或許能拯救衰亡的宋朝。

在政治之外，王安石在文學上也很有成就，是唐宋八大家之一，對歷代典籍都下過相當深的工夫，而且有獨到的看法，著述等身。

王安石的文章卓然自成一家，有一種倔強之氣，用筆凌厲，見解精闢，他也寫詩，他寫的詩可以引用自己的兩句——『看似尋常最奇絕，成如容易卻艱辛』來形容看來平常卻不平常，因爲字字都是他深思得來。

總而言之，不論新法在實施上的成效如何，王安石總是歷史上一位偉大的政治家，一位偉大的學者，他出入進退，光明磊落，道德文章，永垂不朽，不要說是遠在北宋，在今天，社會上要推行一種改革都是困難重重，反對聲四起，我們就不能不佩服王安石勇於改革的膽識。

閱讀心得

【第394篇】

三蘇父子。

一提到蘇東坡三個字，幾乎每個中國人都會脫口而出：『我知道。』他的趣聞軼事，他的一些名句『人有悲歡離合，月有陰晴圓缺』、『不識廬山眞面目』、『淡粧濃抹總相宜』都是大家熟悉的句子，再不成，總也吃過『東坡肉』這道菜。蘇東坡到底是個怎樣的傳奇人物呢？

蘇東坡本名蘇軾，字子瞻，四川眉州眉山人，眉山這個地方，因爲出了三蘇：蘇東坡的父親蘇洵、蘇東坡及東坡的弟弟蘇轍（字子由）而成爲歷史上有名之地。

他的父親蘇洵，是個智慧很高，才思敏捷，擅長寫議論文的學者。他一直到二十七歲才開始認眞讀書求學，因此，歷史上人們總以蘇洵爲例，勸導人們只要發憤向上，永遠不會太晚的。

蘇東坡十歲左右之時，蘇洵進京趕考，落榜之後便四處遊歷，所以，蘇東坡從小由母親程氏在家中教導。

有一天，程氏教蘇東坡讀到《後漢書》中的范滂傳，不知不覺嘆起氣來。原來這一段是敘述後漢時代，宦官弄權，范滂等正直學者向皇上進諫，結果卻慘遭殺害。范滂臨死前，泣別母親，覺得害老母流離，實在不孝，誰知范母竟說：『我今天使你爲善，則我不爲惡，死亦何恨。』這一年，

范滂不過三十三歲。

蘇東坡仰起小臉問媽媽：『假如我長大學范滂，母親願意嗎？』

『你能做范滂，難道我就不能當范滂的母親嗎？』

蘇東坡笑了起來，由於有這番母教，養成他從小熱愛正義眞理的性格。

到蘇東坡十六歲的時候，他已經博通經史，寫起文章來，總是洋洋灑灑數千言，其中他最欣賞賈誼、陸贄的文學作品，等到讀到莊子，東坡又發現這才是他最喜愛的，莊子的情思飄逸、豪放自由，影響到蘇東坡文體的瀟瀟灑灑、曠達自然。

宋仁宗嘉祐二年，他二十二歲，前往禮部應試，考試的題目是『刑賞忠厚之至論』，東坡與他的弟弟都以高分入選。其中還有一段插曲，這回考試的主考官是歐陽修，歐陽修一看蘇東坡的文章，大爲驚喜，他心忖，能寫這麼出色的卷子，一定是門生曾鞏，爲了避嫌，歐陽修故意把卷子由第一名改爲第二名。

結果，拆開彌封，才發現是匹黑馬。從此，歐陽修對蘇東坡特別注意，當蘇東坡前來拜謝主考官時，歐陽修忽然想起：『你的卷子裡，引用一句話說，唐堯時代，有個人將判死刑，皋陶三次要殺，堯卻寬宥了三次，這段典故，出自哪裡？』

『三國志。』蘇東坡回答。

可是，歐陽修查遍三國志，卻也沒見到這一段，蘇東坡才說：『我杜撰的，不過，聖君必然會如此做的，不是嗎？』

歐陽修非但不冒火，反而大大誇獎，並且對同事說：『我讀蘇東坡寫的信，會高興得流淚，我應當避一避，讓他出人頭地。』

由於歐陽修乃當時文壇盟主，他這麼捧蘇東坡，蘇東坡一下子便爲人所矚目，歐陽修這種愛才的風範，坦蕩的胸襟，蘇東坡不但一輩子尊他爲師，歐陽修逝世之後，蘇東坡仍念念難忘。

蘇東坡考取功名，正要做官，忽然間，母親大人去世了，根據規矩，他要回家守孝二十七個月，才能復職。他可憐的母親，來不及聽到兒子高中的好消息就去世了，家中亂七八糟，茅屋漏雨，簡直如『逃亡人家』。

他們父子三人在『老翁泉』選了一塊墓地，爲程氏安葬。根據地方傳說，在清朗月色之時，可以看見一個白髮老公公，或坐或躺，可是，只要一有人走近，老公公馬上消失在水中，由於有這一段傳說，因此將此地命名爲『老翁泉』，以後蘇洵自號爲蘇老泉，他死後，也葬在同一塊墓地。

母喪期滿之後，蘇東坡被任命爲大理評事，簽鳳翔府判官，他弟弟被任命爲商州軍事通官，由於蘇東坡的父親不經考試，直接被命爲校書郎，所以子由拒官，留在京師陪父親，古代人都是相當孝順的。

蘇東坡離開弟弟，心裡很捨不得，他們兄弟一向感情很好，現在不能不暫時分別了，所幸，鳳翔距離京師不遠，信件往返只要十天，兄弟倆每個月互寄一首詩唱和。

這段時間，蘇東坡寫給弟弟的詩中，有不少傳世之作。譬如：

人生到處知何似，應似飛鴻踏雪泥；

泥上偶然留指爪，鴻飛那復計東西。

蘇東坡這首詩意境很美，他把人生比喻爲飛翔的大鳥在雪中泥地上偶然留駐，以後我們就用『雪泥鴻爪』四個字形容，凡事情經過所留之跡象也。蘇東坡這個偉大心靈所留下的足跡還多著呢。

閱讀心得

【第395篇】

千里共嬋娟。

在上一篇〈三蘇父子〉之中，我們說到，才華洋溢的蘇東坡受到歐陽修的賞識，不但中了殿試，而且文名遠播。

蘇東坡擔任鳳翔判官不久，新皇帝英宗即位，仰慕他的文才，想要破格提升他爲翰林，擔任爲皇帝起草詔命的工作。

宰相韓琦反對，他稟告皇上：『軾之才，爲大器也，他日當爲天下所用，不妨讓他慢慢磨練才智，不要突然晉升高位，反而有害於他。』

英宗接受韓琦的建議，讓蘇東坡經過應考，然後在史館任職，蘇東坡很感激韓琦的說：『公可謂是愛人以德也。』

這年五月，蘇東坡的妻子去世了，年紀很輕，不過二十六歲，蘇東坡非常難過的把她葬在慈母墓旁。十年之後，蘇東坡寫了一首詞追悼：『十年生死兩茫茫，不思量，自難忘。千里孤墳，無處話淒涼。縱使相逢應不識，塵滿面，鬢如霜。』

這首詞描寫十年來生者死者兩茫茫，幽明相隔，若想忘記，談何容易。寫得悲苦之至，我們今天看了也心酸。

在蘇東坡任職史館期間，神宗皇帝任用王安石變法，蘇東坡大爲反對，寫了兩封信給皇帝，強烈批評青苗法，他的文章充滿了義憤及不能抑止的

悲痛，轟動了全國。王安石大怒，沒有多久，蘇東坡被免職，神宗改派他到杭州去擔任通判。

通判是個小官，沒有太多責任，蘇東坡卻眞心愛上杭州這個人間天堂，他無憂無慮的個性，熱愛大自然的豪爽在此得到解脫，他沒有因爲政治上的失意消沉下去，他也沒有與大多數的唐宋詩人一般，沉醉於酒色。

一直到今天，杭州的西湖是中國人心目之中最美的地方，原因之一，也許正是因爲蘇東坡曾寫過一首詩：『水光瀲灩晴方好，山色空濛雨亦奇；卻把西湖比西子，淡粧濃抹總相宜。』

蘇東坡眼中的西湖是晴天美麗，雨天也奇特，她的自然景觀就像西施天生麗質一般，無論畫淡粧或濃抹，永遠那麼美麗迷人。

蘇東坡喜愛杭州，杭州人也欣賞這位千古風流的才子，蘇東坡在杭州留下許多膾炙人口的故事，一代一代的流傳，其中，人們最感興趣的，該是胖和尚佛印。

佛印在通俗小說之中流傳甚廣，大家都知道蘇東坡有這麼一個胖嘟嘟、愛吃肉又喜歡開玩笑的好朋友。

據說蘇東坡有一次與友人月夜泛舟，蘇東坡對朋友說：『佛印這個和尚太貪吃，今晚酒菜不多，就別告訴他。』他們在湖上遊興甚濃，蘇東坡提議作對子，上面要『撥開』，下面要『出來』，最後還要接上兩句四書上的句子。

蘇東坡隨口唸道：『烏雲撥開，明月出來，天何言哉，天何言哉。』

朋友接口道：『荷葉撥開，游魚出來，得其所哉，得其所哉。』

兩人都認爲自己作得挺得意，拊掌而笑，忽然，船艙裏冒出一個和尚，嘴裡唸道：『艙板撥開，佛印出來，人焉廋哉，人焉廋哉。』

這個故事也許是虛構的，不過，蘇東坡在中國人心目中就是如此風趣樂觀，懂得幽默的才子。

蘇東坡一方面是會享受的樂天派，另一方面，他還是十足的中國知識份子，他看不到王安石新政的理想面，卻對新政實際面爲百姓帶來的痛苦，感到十分不安。

蘇東坡自己形容『我見到某一件不對，就像在飯菜中找到一隻蒼蠅，非吐出來不可。』

他這種直言無隱的性格，又爲他帶來了麻煩。譬如他用『人如鴨與豬，投泥相濺驚』描述人民挖鹽河的痛苦；譬如他用『爾來三月食無鹽』批評政府將鹽專賣，害得人民吃不到鹽；還有一首詩，他用夜梟比喻嶺南一位官吏。由於蘇東坡文章寫得太好，簡直是行雲流水，這些詩詞流傳甚廣，以後就成爲一項項的罪名，最後，被改派到青島附近擔任密州太守。

密州是個窮困之地，與杭州有天壤之別，蘇東坡頗爲沮喪。不過，最好的文學作品往往是歷經折磨後的結晶，蘇東坡在密州，一個人孤孤零零的過中秋節，想起了弟弟子由，寫下了歷史上最出色的中秋詞——

『明月幾時有，把酒問青天，不知天上宮闕，今夕是何年？我欲乘風歸去，又恐瓊樓玉宇，高處不勝寒，起舞弄清影，何似在人間？

轉朱閣，低綺戶，照無眠，不應有恨，何事長向別時圓？人有悲歡離合，月有陰晴圓缺，此事古難全，但願人長久，千里共嬋娟。』

——什麼時候開始有明月的呢？我舉酒向青天詢問，不知天上的宮殿，今夜又如何？我想乘風歸去，又恐怕天上的神仙洞府太高了，十分寒冷，於是跟著月下影子翩然起舞，人間還有何處可以比得上呢？

月亮轉過紅閣，低低斜照屋內，我不該再有遺恨，爲什麼月亮偏偏要選擇分別時最圓？人有悲歡離合，月有陰晴圓缺，這些事自古無法兩全其美，但願生命能夠長久，即使千里之遠也可以一同欣賞這美麗的月亮。

閱讀心得

【第396篇】

河東獅吼。

在上篇〈千里共嬋娟〉之中，我們講到，蘇東坡有話就說、直言無隱，得罪了朝廷，從杭州任所改派貧瘠的密州。

倒楣的事還不止此，當蘇東坡再次被改派湖州時，他在謝表中，對王安石新政中的新進頗不客氣，御史李定等人拿著蘇東坡的詩，指控他訕謗朝廷，欲置之死地。

結果，蘇東坡被捕入獄，神宗皇帝愛才，捨不得處死蘇東坡，把他調往黃州擔任團練副使，黃州在今天湖北，是漢口下游一個小地方。

蘇東坡在黃州與地方父老共耕共食，築了一個小房子在東坡，自號東坡居士，蘇東坡之所以叫蘇東坡，就是這麼來的。

在這段期間，蘇東坡最好的朋友是陳慥，陳慥字季常，由於交了蘇東坡這個朋友，使得人們到今天還曉得他怕太太，眞是可憐。

原來陳季常的妻子頗爲兇悍，蘇東坡覺得很好玩，拿起筆來就寫了一首詩：『龍丘居士亦可憐，談空說有夜不眠；忽聞河東獅子吼，拄杖落地心茫然。』

從此『河東獅吼』成爲兇婆娘的代名詞，而『季常癖』三個字也就等於懼內之意。

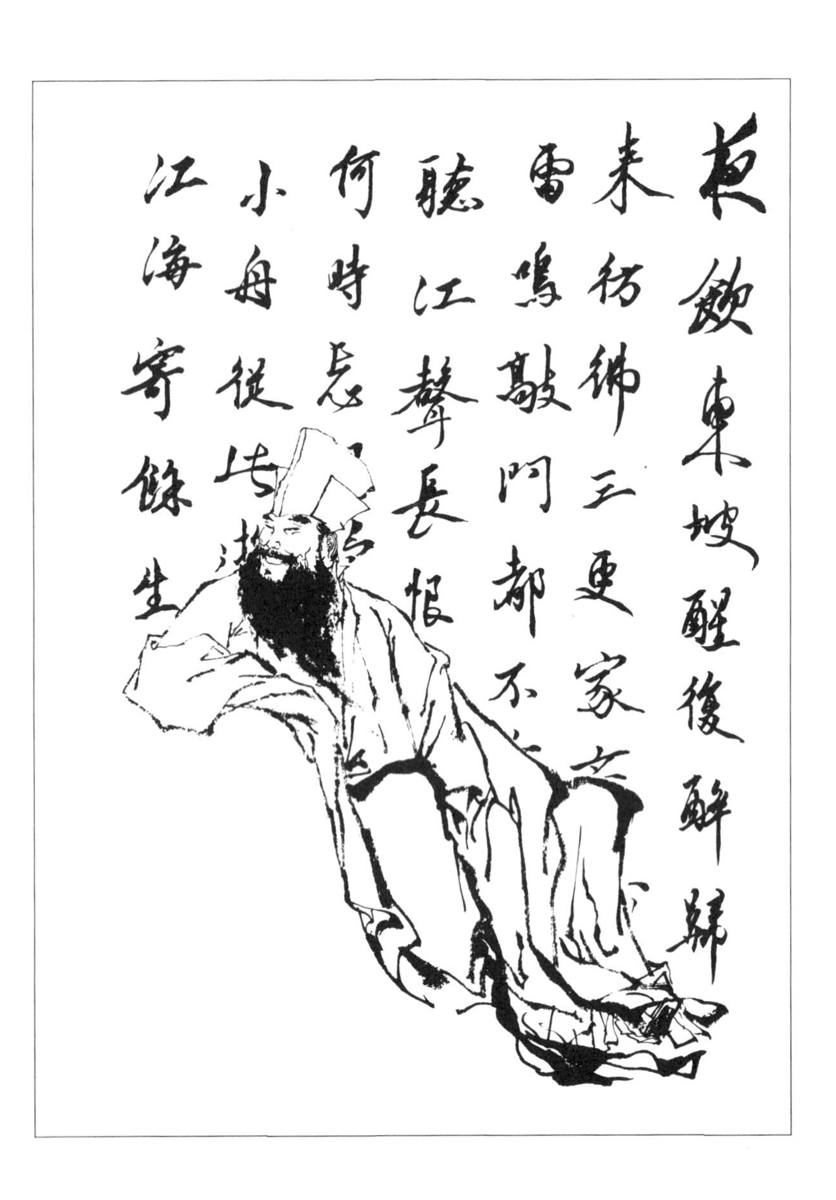
夜飲東坡醒復醉歸
來彷彿三更家
雷鳴敲門都不
聽江聲長恨
何時忘
小舟從此
江海寄餘生

蘇東坡屢次被貶謫，表面曠達，內心當然不免難過，所以當蘇東坡的侍妾朝雲爲他生了一男孩時，蘇東坡寫了一首詩自嘲：『人皆養子望聰明，我被聰明誤一生；惟願孩兒愚且魯，無災無難到公卿。』這個小孩笨不笨，沒有辦法知道，因爲他十個月大就夭折了。

黃州是個貧瘠之地，但是過久了，蘇東坡也習慣了，他本來就是一個隨遇而安的人，正如同他對弟弟子由所說：『吾上可陪玉皇大帝，下可陪卑田院乞兒，眼前見天下無一個不好人。』

有一天蘇東坡夜遊喝酒，月色很美，他雅興大發，順手寫來就是絕妙好詞——『夜飲東坡醒復醉，歸來彷彿三更，家童鼻息已雷鳴，敲門都不應，倚杖聽江聲。長恨此身非我有，何時忘卻營營，夜闌風靜縠（縐紗也）

紋平，小舟從此逝，江海寄餘生。』

——這天晚上東坡飲酒，醒了又醉過去，回家時已有三更天，家僮的鼻鼾聲如雷鳴似的，敲了半天門都沒人來開，於是，倚著手杖靜靜聽著江流的聲音。

我時常懷疑此身不是屬於我的，什麼時候才能夠拋開所有的煩惱呢？夜深人靜，清風徐來，波濤柔細，最好乘著一葉小舟離開，在湖光山色之中逍遙此生。

這首詞充滿禪意，表現出蘇東坡眞正豁達；可惜一些凡夫俗子看不懂，竟然謠言四起，說蘇東坡寫了告別詞開溜了。

黃州太守聽到消息，嚇得不得了，立刻出去尋找，結果發現蘇東坡好端端的在打呼，鼾聲如雷，完全不知道外面已經鬧翻了天。蘇東坡的傳世名作前後赤壁賦，也是在這段期間完成的。

神宗皇帝去世後，哲宗立，年方十歲，由宣仁太后輔政，不久，蘇東坡被調回京師，一連三級跳，最後成爲翰林，負責起草詔書。

有一天，太后詔見蘇東坡，問他說：『卿年前爲何官？』

『臣爲黃州團練副使。』

『今爲何官？』

『臣今待罪翰林學士。』

『你爲什麼升遷如此迅速？』

蘇東坡想了一下回答：『幸蒙太皇太后的恩典。』

『非也。』

蘇東坡愣住了，稍稍思索道：『是大臣推薦？』

太后又搖搖頭：『也不是。』

蘇東坡慌了，吃驚的說：『臣雖然不肖，也不敢走歪路求官。』事實上他自己也莫名其妙一再升官。

太后終於說了：『這是先帝的意思，他每次讀你的文章，必定嘆曰：「奇才，奇才！」但是，還來不及用你就走了。』說到這裏，太后不覺痛哭失聲，哲宗皇帝與蘇東坡也都淚流滿面。

蘇東坡爲了報答神宗知遇之恩，他自覺有責任把官吏怠惰、無能與欺君的情形報告太后，於是，他又捲入了政治漩渦。他覺得非常苦惱，有天晚上，他在房中踱步，愁眉不展，他問家中婦女，他肚裡藏的是什麼？有人說滿腹詩書，有人說滿腹經綸，最後侍妾朝雲說：『滿肚不合時宜。』蘇東坡高興的說：『對！』

滿肚子不合時宜的蘇東坡再度因詩獲罪，有人檢舉他經過揚州，曾在廟裏題了三首詩，其中有一句『山寺歸來聞好語』，這首詩五月一日寫的，神宗卻在三月五日去世，莫不是蘇東坡把國喪當成好語？蘇東坡心煩極了，再三請辭，終於如願以償，以龍圖閣學士出任杭州太守。

閱讀心得

【第397篇】

無竹令人俗。

在〈河東獅吼〉的故事中，我們說到蘇東坡回到京城，官拜翰林學士之後，又因爲論事過於鯁直，得罪朝廷官員，乃請求外放，再度到了杭州。杭州是東坡舊遊之地，幾乎是第二故鄉，當年，他只是個通判小官，無能爲力，如今擔任杭州太守，他可要好好爲地方做點事，在短短一年半任期之中，他完成流通鹽道，重整西湖，平抑糧價及公共衛生建設等措施。

此刻的西湖淤泥夾著水草，使得湖床不斷升高，不能灌溉，也無法行船。蘇東坡招募了數千名工人，把淤泥挖出，用來建築長堤，並且在堤上廣植芙蓉、楊柳，美不勝收。然後，開墾湖面，讓農夫種植菱角，如此，農夫經常除草，可免淤泥，同時，千百年之後，人們還可以一面遊湖，一面採紅菱。也因此，杭州才能享有『上有天堂，下有蘇杭』人間天堂的美譽。

由於他在杭州政績斐然，老百姓都愛戴他，喜歡他，甚且把蘇東坡畫成像，掛在家裡天天膜拜。

以後蘇東坡官運時升時降，由於他對看不慣的事，永遠是『如蠅在食，吐之乃已』，在紹聖四年，章惇這個奸邪小人拜相之時，蘇東坡被貶爲瓊州別駕，瓊州就是現在的海南島，彼時尚未開化，完全是不毛之地，蘇東坡

形容此間『食無肉，病無藥，居無室，出無友，冬無炭，夏無寒泉……』

然而，處在這樣困苦的環境之中，蘇東坡依舊達觀，深得當地人民的愛戴，甚且爲他造一間房子，直到徽宗時代大赦，他才回到京城裡來，第二年，死於常州，享年六十六歲。到了宋高宗，追贈他爲資政殿學士，推爲文章之宗，又崇贈他爲太師，謚曰文忠，所以後人又稱他爲蘇文忠公。

蘇東坡具有豐富感、變化感與幽默感，中國人想到蘇東坡，就會親切溫暖地一笑。中國人是最懂得吃的民族，蘇東坡對食道也有相當的研究，還會親自下廚。

當他在黃州之時，發現當地豬肉很便宜，也很鮮美，可惜當地人不懂得烹調之道，他曾寫了一首吃豬肉的詩：『黃州好豬肉，價錢等糞土，富者不肯吃，貧者不解煮，慢著火，少著水，火候足時他自美，每日起來打一碗，飽者自家君莫管。』

這道燉豬肉的食譜流傳至今，稱之爲『東坡肉』，我們上飯館吃飯，有所謂東坡麵、東坡肉，就是把這塊連皮帶肥夾瘦的澆頭淋在飯上、麵上，鮮美無比。

東坡愛吃肉，性情又愛竹，他寫過一首詩：『可使食無肉，不可居無竹，無肉令人瘦，無竹令人俗，人瘦尚可肥，士俗不可醫。』曾有人戲謔加上兩句『若要無瘦又無俗，最好每天竹燒肉』。事實上竹筍燉肉確爲一盤美味。

後人相傳，蘇東坡常把題詩剩下的墨汁，灑在竹林之中，枝葉遂帶墨痕。蘇東坡的字風神飄逸，他的畫自成一格。當然蘇東坡最有名的，還是他的詞，在蘇東坡之前的詞多半是哀哀怨怨，兒女私情，蘇東坡放大了詞的內容，無論任何題材思想感情，都可以用詞來表現，他一方面提高了詞的意境，用豪放飄逸代替艷麗嫵媚。

最後，我們來談一個有趣的話題，那就是民間傳說之中，蘇東坡有一位長得不太美麗，卻才高八斗的妹妹——蘇小妹。

根據『今古奇觀』一書記載，蘇東坡一臉鬍腮，蘇小妹調侃他道：『口角幾回無覓處，忽聞毛裡有聲傳。』而蘇小妹額顱凸起，蘇東坡回她兩句：『未出庭前三五步，額頭先到畫堂前。』

蘇小妹身爲才女，不太看得起一般庸碌之輩，獨獨對秦觀（秦少游）

挺欣賞的，曾寫過一首『今日聰明秀才，他年風流學士，可惜二蘇（指蘇東坡、蘇子由）同時，不然橫行一時。』

秦觀聽說蘇小妹對他有意思，某天便打扮成一個道士，項上掛著一串拇指大的數珠，偷偷去探望在廟中燒香的蘇小妹，結果發現蘇小妹雖然不算頂美，倒是清雅幽閒，全無俗氣。

當秦觀考中功名之後，與蘇小妹同拜天地，可是蘇小妹不准新郎入洞房，要先考他三個題目，前兩個題目秦觀順利通過，第三道題『開門推出窗前月』，卻接不出能對得上的詩句。

蘇東坡遠遠瞧見秦觀抓耳撓腮，決定救他一命，咳嗽一聲，取了一塊磚片投向缸中，秦觀被此一點，朗聲應道：『投石沖開水底天。』遂成良好姻緣。

大家都熟悉蘇小妹這段故事，偏偏正史之中，蘇東坡往來書信，甚且與秦觀書信之中，從來沒見到蘇小妹這個人，所以，極有可能是後人編造的。

閱讀心得

【第398篇】

三白飯和三毛飯。

蘇東坡的逸聞趣事是大家都喜愛的，因此，再根據宋朝人的書信筆記，講幾個東坡先生的妙人妙事。

蘇東坡是個美食家，對河豚情有獨鍾，當他在常州之時，有個擅長燒豚者，特別邀請蘇東坡前往享用，當蘇東坡開懷大嚼之時，這人的太太小孩都躲在屏風後面偷看，希望蘇東坡能有一兩句讚美的話，傳出去很夠面子，可惜，蘇東坡把河豚舔得乾乾淨淨，卻始終不發一語。

躲在屏風後面的婦人失望透頂，不料，蘇東坡忽然放下筷子，抹一抹嘴道：『也值得一死。』哇！一下子全家樂壞了，東坡先生拚了一死也要吃這兒的河豚，可見其味之美。

說到吃，還有一段故事，蘇東坡曾一度入獄，他和兒子蘇邁約定好，每天送來的飯菜只要肉和菜，萬一那天有壞消息，改送一條魚。如此這般，過了一個月，蘇邁手頭上餘錢不多，急著出城籌款，委託一位親戚代送牢飯。

匆忙之間，蘇邁忘了告訴親戚有此約定，這親戚知道蘇東坡貪吃，特別加工加料做了一道鮮魚送去，蘇東坡一見之下，臉都綠了，也沒心情享用，寫了兩首告別詩給弟弟子由，託獄卒轉交。獄卒膽小，惟恐有所差池，

趕快呈給監獄長官。

結果，這兩首詩輾轉給神宗皇帝見到了，神宗皇帝本是愛才之人，也沒意思要殺蘇東坡，看到兩首詩後，大為感動，因此把蘇東坡給放了出來。

東坡先生一向喜愛開玩笑，有一次他去拜訪相國呂大防，大防是個大胖子，正在睡午覺，一睡就是老半天，最後揉揉眼睛走出來說：『對不起，偶爾晝寢。』

東坡指一指客廳中的土盆，裡面養了一隻烏龜，蘇東坡說：『剛剛烏龜在說話，牠說：「莫要鬧，莫要鬧，六隻眼兒睡一覺，卻比他人睡三覺。」』

呂大防知道蘇東坡笑自己是六眼烏龜，也忍不住哈哈大笑。

由於蘇東坡有急智，往往有幽默之語，蘇東坡有個姻親叫王禹錫，曾經寫了一首詩『打葉兩拳隨手重，吹涼風口逐人來。』自以爲很不壞，拿去給蘇東坡過目。

東坡一看便搖頭：『十六郎作詩，怎如此不合規矩。』

王禹錫頗爲尷尬，只好搓著手道：『此乃喝醉酒時所作。』

過了兩天，王禹錫又捧了一大卷詩來討教，蘇東坡稍一過目，開口笑道：『你又醉了？』

蘇東坡喜歡開玩笑，有時也不免被人家開開玩笑。

有一回，蘇東坡向劉貢父吹牛，說自己以前和弟弟在鄉下時，每日享用三白飯，味道鮮美，貢父問他：『何謂三白？』

『三白就是一撮鹽，一碟生蘿蔔，外加一碗白飯。』東坡答道。

過了幾天，劉貢父（也有人說是錢穆父）下帖子請吃『晶飯』，蘇東坡高高興興去赴宴，看到桌上只有一撮白鹽、一碟白蘿蔔、一碗白飯，蘇東坡知道被愚弄了，還是勉強吃完，然後對劉貢父說，他要回請吃三毛餐。

劉貢父不知道蘇東坡葫蘆裡賣什麼藥，好奇的按時前往，結果等了又等，沒看見任何食物，也沒嗅到廚房裡有炒菜的香味，忍不住詢問蘇東坡：

『三毛餐在哪？』

『咦，鹽也毛（毛，很像沒的發音），生蘿蔔也毛，白飯也毛，這不是毳餐嗎？』原來三毛飯就是三樣也『沒』的飯。

劉貢父笑得捧著肚子喊疼。

蘇東坡不但會寫文章，他的圖畫、書法也是歷史上有名的藝術作品。

他在杭州當法官時，有位年輕人因爲欠債被捕，他在庭上委委屈屈的分辯：『並非我存心狡賴，實在是連連下雨，我的扇子一把也賣不出去。』

『喔，是這樣嗎？我來替你賣，你明兒帶些扇子來。』

第二天，年輕人捧了一堆扇子來，蘇東坡挽起袖子，畫些枯木竹石，再題幾個字。這一回，扇子馬上被搶購一空，遲到的人跺腳嘆息不已。

在當時，只要與蘇東坡扯上關係的都大發利市。宣和初年，有個叫潘衡的，他賣的墨比別人貴好幾倍，因爲他誇口曾在海南島，拜蘇東坡爲師，學得獨門製墨秘方。

蘇東坡的朋友不相信，曾經詢問東坡之子蘇過，蘇過忍不住笑了起來道：『是有這回事，家父在海南島相當無聊，剛好潘衡來，他兩人在小房間中燒煤製墨，到了半夜忽然著火，差點沒把房子燒掉。第二天，從殘跡中找到幾兩油墨，又沒有膠，家父竟用牛皮膏來黏，做出來的墨軟趴趴的一根根像手指頭般，站都站不直。』

可見潘衡是假借蘇東坡之名打廣告。蘇東坡儘管官場失意，在當時文名傳遍內外，士大夫若不會背東坡詩，不但有自卑感，旁人也會嘲笑他沒學問。由於蘇東坡喜歡戴一種高高彎彎的帽子，許多人也學戴東坡帽，甚且皇宮之中的丑角也戴上一頂，裝模作樣的說：『我寫的文章比你們都好。』

『爲什麼？』其他人不服氣。

『咦，你看不見我頭上的東坡帽嗎？』

皇帝聽了都頻頻點頭，而且還回過頭來，對蘇東坡會心一笑，蘇東坡實在是個有意思的性情中人。

閱讀心得

歷代・西元對照表

朝　　代	起迄時間
五帝	西元前2698年～西元前2184年
夏	西元前2183年～西元前1752年
商	西元前1751年～西元前1123年
西周	西元前1122年～西元前 771年
春秋戰國(東周)	西元前 770年～西元前 222年
秦	西元前 221年～西元前 207年
西漢	西元前 206年～西元 8年
新	西元 9年～西元 24年
東漢	西元 25年～西元 219年
魏(三國)	西元 220年～西元 264元
晉	西元 265年～西元 419年
南北朝	西元 420年～西元 588年
隋	西元 589年～西元 617年
唐	西元 618年～西元 906年
五代	西元 907年～西元 959年
北宋	西元 960年～西元 1126年
南宋	西元 1127年～西元 1276年
元	西元 1277年～西元 1367年
明	西元 1368年～西元 1643年
清	西元 1644年～西元 1911年
中華民國	西元 1912年

國家圖書館出版品預行編目資料

全新吳姐姐講歷史故事. 17. 北宋/吳涵碧 著.
--初版.--臺北市；皇冠，1995〔民84〕
面；公分（皇冠叢書；第2483種）
ISBN 978-957-33-1227-7（平裝）
1. 中國歷史

610.9 84006926

皇冠叢書第2483種
第十七集【北宋】
全新吳姐姐講歷史故事〔注音本〕

作　　者—吳涵碧
繪　　圖—劉建志
發 行 人—平雲
出版發行—皇冠文化出版有限公司
台北市敦化北路120巷50號
電話◎02-27168888
郵撥帳號◎15261516號
皇冠出版社(香港)有限公司
香港銅鑼灣道180號百樂商業中心
19字樓1903室
電話◎2529-1778　傳真◎2527-0904
印　　務—林佳燕
校　　對—皇冠校對組
著作完成日期—1992年01月01日
香港發行日期—1995年09月25日
初版一刷日期—1995年10月01日
初版二十九刷日期—2021年05月
法律顧問—王惠光律師

讀者服務傳真專線◎02-27150507
電腦編號◎350017
ISBN◎978-957-33-1227-7
Printed in Taiwan
本書定價◎新台幣150元/港幣45元